PRA VOCÊ QUE SENTE DEMAIS

VICTOR FERNANDES

PRA VOCÊ QUE SENTE DEMAIS

Outro Planeta

Copyright © Victor Fernandes, 2020
Copyright © Editora Planeta do Brasil, 2020
Todos os direitos reservados.

Preparação: Vanessa Almeida
Revisão: Nine Editorial e Departamento editorial da Editora Planeta do Brasil
Projeto gráfico: Vivian Oliveira
Diagramação: Natalia Perrella
Capa: Departamento de criação da Editora Planeta do Brasil
Imagem de capa: Rijksmuseum

Dados internacionais de Catalogação na Publicação (CIP)
Angélica Ilacqua CRB-8/7057

Fernandes, Victor
  Para você que sente demais / Victor Fernandes. -- São Paulo : Planeta do Brasil, 2021.
  176 p.

ISBN: 978-85-422-1917-3

1. Crônicas brasileiras 2. Autorrealização 3. Felicidade I. Título

20-1619   CDD B869.8

Índices para catálogo sistemático:
1. Crônicas brasileiras

Ao escolher este livro, você está apoiando o manejo responsável das florestas do mundo

2024
Todos os direitos desta edição reservados à
EDITORA PLANETA DO BRASIL LTDA.
Rua Bela Cintra, 986 – 4º andar
01415-002 – Consolação
São Paulo-SP
www.planetadelivros.com.br
faleconosco@editoraplaneta.com.br

*para todas as pessoas que estão
crescendo, amadurecendo, evoluindo.
para todas as pessoas que estão
aprendendo com os erros, caindo, levantando.
para todas as pessoas que
estão constantemente dando voltas
por cima e descobrindo a própria força.*

Você vai fazer algo bonito com todo esse caos que está em sua vida agora.

Toda essa bagunça que sua vida se tornou, todo esse caos que insiste em fazer morada no seu mundo, tudo isso que aperta seu peito e te sufoca, tudo, tudo mesmo, vai ser transformado em crescimento, amadurecimento, evolução. Você vai se quebrar muito antes de construir uma versão mais forte de si mesmo. Você vai cair muito antes de perceber o poder das suas asas. Você vai presenciar muitos dias cinza antes de perceber que é fênix.

Nada do que está acontecendo agora será em vão. Nada do que aconteceu foi em vão. Todas as coisas passadas e situações vividas deixaram reflexos no seu ser, mesmo que você não enxergue com nitidez. Algumas cicatrizes são invisíveis, outras a gente só enxerga quando a maturidade adquirida graças a elas se manifesta. E a gente acaba rindo do quão útil foi ter se machucado uns tempos atrás.

O caos não vai te vencer, vai te ensinar. O caos não vai tirar sua força, vai revelá-la. O caos não vai tornar sua vida escura e sem cor, vai te fazer enxergar as luzes que moram em você e as cores bonitas que a vida pode ter. Você vai finalmente notar que a felicidade não é a ausência de caos na vida, não existe vida sem bagunça e problemas, não existe felicidade sem tropeços e dias ruins.

**Felicidade é olhar pro caos
e entender que ele sempre vai
existir, mas que nunca
conseguirá vencer
a nossa paz.**

TEM COISA QUE A GENTE SÓ VAI ENTENDER NO FUTURO. QUANDO O MUNDO GIRAR, QUANDO A MATURIDADE CHEGAR, QUANDO A GENTE FLORESCER...

TUDO SE ESCLARECE.

você não se resume ao caos que mora aí dentro.

você tem um coração lindo e bagunçado
e não precisa ter vergonha das cicatrizes que carrega
você tem dores reais
problemas reais
você é real

você passou por muita coisa
quase sempre aguentou sozinho
flertou com ideias perigosas
viveu situações desastrosas
e apesar de tudo
sobreviveu e cresceu

você tem um coração intenso
cheio de problemas do passado
que invadem o presente
mas teima em não perder a leveza

é sensacional o jeito como você
dá risada na cara das tempestades
você lida com o caos
da maneira mais incrível que já vi

Qual a hora certa de dizer "eu te amo" pela primeira vez?

Há algumas madrugadas me faço essa pergunta. Não, ela não surgiu aleatoriamente na minha cabeça, ela tem uma razão real, um motivo concreto. Ultimamente, vários "eu te amo" têm dançado na minha garganta, todos loucos para serem ditos, e acho que talvez o único empecilho seja a pressão social de não dizer "eu te amo" precipitadamente.

Mas aí eu pergunto, se os "amo você" e os "eu te amo" querem ser ditos, por que guardá-los? Se naquele momento minha intensidade pede para gritar, digitar, sussurrar isso que tem morado em mim. Tem sido real, pelo menos no momento em que escrevo este texto.

O que seria amar, afinal? Seria essa vontade bonita de cuidar da outra pessoa? *Check*. Seria esse desejo de ver a outra pessoa sorrindo? *Check*. Seria o sentimento de torcer absurdamente para ela ser feliz e ficar bem e conquistar o mundo, e colocá-la em minhas orações? *Check*. Se isso tudo for amor, é amor.

No fim das contas, não existe a tal hora certa. Pode ser em um fim de semana, pode ser depois de um mês, de seis meses, de um ano ou dois. Pode nunca ser dito, apesar de sentido e demonstrado. Porque talvez dizer "eu te amo" seja uma pequenina formalidade. Bonita, agradável, aconchegante, mas talvez sejam só palavras, se não vierem acompanhadas de atitudes, de teoria se tornando prática.

Por isso, meu conselho mais importante sobre o tema é: se você sente que precisa dizê-lo, diga. Porque ninguém tem um termômetro ou uma régua para dizer se realmente é amor, se é um sentimento fraco ou forte. Desentale os "eu te amo" que estão presos aí dentro. Independentemente se você vai ouvir de volta, o importante é dizê-lo e não amar da boca pra fora. Lembre-se: amar não é dizer que ama.

Na dúvida se é cedo demais para dizer que ama, se pergunte "estou amando na prática?", se sim, diga.

para ser amado é preciso amor-próprio.

não vou encontrar alguém legal
se eu não for legal comigo
não vou ser feliz no amor
se eu não me der amor
ninguém vai me achar incrível
se eu mesmo não me admirar
os olhos de nenhuma pessoa vão brilhar ao me ver
se quando me olho no espelho
os meus olhos não brilharem

porque qualquer amor começa dentro de nós
inclusive o amor dos outros
nunca vamos conseguir ser amados
se não experimentarmos o que é amar a nós mesmos

é como Rupi Kaur falou

*"como você ama a si mesma
é como você ensina
todo mundo a te amar"*

Dá pra você, por favor, acreditar que cê é incrível?

Eu te acho incrível e fico indignado por você não conseguir se enxergar assim. Porque você é uma das coisas mais lindas que existem nesse mundo. Você tem um dos corações mais fantásticos do Universo. Sua doçura encanta as pessoas, seu jeito faz com que elas queiram que você fique perto, sua energia ilumina qualquer lugar.

Eu te acho incrível. Incrível mesmo. Daquele tipo de pessoa que a gente olha e fala: "uou". Daquele tipo de gente que a gente até se inspira, sabe? O tipo de pessoa que a gente não quer guardar no potinho, quer ver voando e voar junto. Porque tem algo em você que ninguém tem: você é você.

Só te peço para nunca se esquecer de gostar de si mesmo. Que você nunca deixe de se fazer carinho. Que você nunca deixe de se dar tudo de melhor, e que nunca fique esperando dos outros. Que você aprenda ou reaprenda a curtir sua própria companhia, que se admire, que se respeite, que tenha consciência das suas falhas e entenda que elas não te tornam pequeno.

Que você seja o abraço que às vezes te falta.
Que você seja a companhia que às vezes busca em alguém.
Que você seja o seu fã número um.

É LINDO QUANDO VOCÊ RESOLVE SE TORNAR A PESSOA CERTA PARA SI MESMO.

DÁ UMA PAZ...

Em qualquer relacionamento, você merece plenitude, certeza e segurança.

Você não pode passar a vida inteira se relacionando com alguém que não sabe o que sente por você. Chega o momento em que são necessárias definições, certezas, respostas. Ninguém passa tanto tempo assim sem saber o que sente e, principalmente, o que não sente. É preciso colocar as cartas na mesa.

Talvez, momentaneamente, seja bom um afastamento, deixar o outro sentir sua falta (ou não senti-la), te querer perto ou se acostumar sem você, e perceber o que sente. Se gosta ou não gosta, se quer ou não quer, se é aventura ou coisa séria, se é amor ou algo menor. Quando você sabe exatamente o que sente e o outro não, você passa o tempo inteiro esperando coisas que, muito provavelmente, não acontecerão. Atitudes que não podem ser tomadas sem que o outro saiba o que realmente está sentindo. Ninguém vai se mover muito se não gostar muito, ninguém vai se esforçar se o sentimento for pequeno e raso. Você precisa saber onde vai pisar.

E quando eu falo em saber o que o outro sente não é exatamente ouvir "eu te amo" nem declarações de amor, é ver nas atitudes se ali existe um sentimento, é ver alguém comprometido com aquilo cem por cento, com a cabeça e o coração ali presentes. Alguém que não esteja dividido entre você e outra pessoa, alguém que não tenha um passado que o deixe com um pé lá e outro cá.

Você merece plenitude, certeza, segurança. Chega de dias em que você vai dormir inseguro, sem saber se amanhã o outro vai te tratar bem, vai se esforçar, vai querer ou deixar de querer. A gente tem que ter do lado alguém que pegue nossa mão, nos tire do chão, nos faça flutuar, mas também nos dê a certeza da terra firme.

Não dá para passar a vida inteira convivendo com sentimentos duvidosos, insegurança e indecisão.

Eu sei o que você sofreu no amor passado.

Você não merecia ter passado por aquilo. Logo você, que sempre deu as melhores partes de si para as pessoas. Você não merecia ter sentido aquela dor, ter ouvido aquelas coisas, ter presenciado aquelas cenas. Você simplesmente não merecia. Ninguém merecia.

Você não merecia ter dado tanto amor e recebido tanto descaso. Você não merecia ter lutado tanto sem reciprocidade. Você não merecia toda aquela ausência, abandono, desprezo. Você não merecia aquela presença tóxica. Você foi luz e recebeu escuridão. Você foi afeto e recebeu frieza. Você foi intensidade e recebeu o raso e o medíocre.

Você fez muito por alguém que fez tão mal, e aquela pequena parte boa não justifica todo o dano causado em você. Não que você tenha feito as coisas para receber algo em troca, mas é o mínimo que a gente espera quando mergulha tão profundamente em alguém. Afeto, apoio, carinho, amor, atenção, entrega, profundidade. A gente sabe que ninguém tem obrigação de amar, mas a gente espera que ame. A gente dá amor e espera que amem de volta. Uma torcida legítima e natural.

Mas você é isso aí e sempre será, ainda bem. Sempre dará o melhor de si, sempre colocará as suas melhores energias, sentimentos e intenções. Mesmo com tantas feridas e cicatrizes e decepções e frustrações. Mesmo com esse tanto de pessoas secas para o amor que esbarram em você. Você não muda, porque quem nasceu para ser assim, não consegue ser de outro jeito. Doeu, mas te mostrou o que é ruim e, principalmente, como não ser assim.

> Às vezes temos que passar por um romance ruim para percebermos o que realmente merecemos. Dói, mas faz crescer.

ORGULHE-SE
POR TER TENTADO, POR TER LUTADO, POR TER FEITO TUDO O QUE SEU CORAÇÃO GRITOU PARA SER FEITO.

você sempre supera.

você se lembra daquela vez
em que olhou para as coisas ruins acontecendo
e achou que sua vida se resumiria
a dor e lágrimas?

você se lembra daquela vez
em que olhou para o tamanho das dificuldades
e se sentiu menor que elas?

você se lembra daquela vez
em que ia dormir quase todos os dias
pedindo a Deus
um pouco mais de força?

você percebe que tudo isso passou?
você percebe o tanto que aprendeu?
você tem noção de como sua vida
mudou pra melhor de lá pra cá?

desta vez não vai ser diferente
você
sempre
supera.

Sempre parece que não vai passar e que é o fim do mundo...
nunca é.

Da última vez parecia que não ia passar, lembra? Sei que você recorda nitidamente do quanto doeu. Doeu muito. Doeu em cada centímetro do seu corpo, em cada célula. Doeu e feriu e apertou o peito e derrubou você e te fez acreditar que você não tinha forças para superar, que era mesmo o fim do mundo. Lembra? Lembra quando você se olhou no espelho e se sentiu a menor e mais fraca pessoa dessa galáxia?

Da última vez você superou, lembra? Assim como superou todas as outras vezes que se sentiu desse jeito. Em todas essas vezes você se sentiu impotente, vulnerável, fraco, sem chão. Todas. E em todas levantou, sacudiu a poeira, lavou o rosto, respirou fundo e buscou forças lá das partes mais profundas do seu coração. Você sempre deu e sempre dará um jeitinho de acessar essa força que mora em você. Força que muitas vezes você esquece que tem. Tolice sua, mas acontece, quando as dores ficam enormes é difícil lembrar que somos maiores do que elas. Você aprendeu na prática o tamanho da força que existe aí dentro.

Você precisou ver o "fim do mundo" diversas vezes antes de descobrir que o fim do mundo é apenas mais uma dificuldade a ser superada. Você cresceu bastante e descobriu seu verdadeiro tamanho. As dificuldades são grãos de areia e você é o oceano.

E é totalmente normal pensar que desta vez não é um grão de areia, que desta vez é uma gigantesca montanha impossível de ser superada e contornada. Mas, mais uma vez, não é. Perto de você e do tamanho da sua força, continua sendo um grão de areia, continua sendo um pequeno fragmento da sua vida.

Não é diferente desta vez. O formato dos problemas muda. A intensidade muda. O tamanho deles varia, claro. A gravidade, também. Mas, assim como em todas as outras situações, não é o fim do mundo. É apenas uma oportunidade de superar, crescer, amadurecer, aprender, redescobrir a sua força. Agora, eu só preciso que você lembre que é forte. Forte demais.

Lembre-se de todas as vezes em que você poderia ter sido mau e optou por ser perdão. Lembre-se de todas as vezes que você errou e logo em seguida se sentiu péssimo por isso e tentou consertar. Lembre-se de todas as vezes em que seu peito gritou ideias revolucionárias quando você se deparou com injustiças. Lembre-se de todas as vezes em que você foi ombro amigo, foi conselho, palavra de incentivo, presença incondicional. São tantos motivos para se orgulhar, são tantos motivos para você se olhar no espelho e se sentir feliz por ser quem é. Apenas faça o esforço mental de relembrar tudo isso. É injusto demais consigo mesmo se sentir inferior, se sentir uma pessoa que não é digna de ser amada.

Espero que você nunca se esqueça do tamanho da sua força, do tanto de coisas que já superou e das suas voltas por cima.

A gente sofre tanto, que acaba mudando.

É impossível manter-se igual depois de ter o coração partido, depois de ter feito planos e vê-los fracassarem, depois de ter lutado tanto por um sonho e não realizá-lo. É impossível manter-se igual depois que nos sacaneiam, depois que nos passam a perna, depois que nos derrubam. Isso não significa que pioramos. Não significa que diminuímos de tamanho. Não é possível dizer que a gente regrediu.

A gente muda para não quebrar a cara novamente. A gente endurece um pouco. Caleja, sabe? A vida nos molda o tempo inteiro. A cada "derrota" somos esculpidos de uma maneira mais resistente. Até que chegamos ao nível onde até as "derrotas" não parecem derrotas, a gente troca o termo "decepção" por "aprendizado". Tudo parece um gigantesco aprendizado.

Mudamos, e precisamos de uma certa vigilância para que não nos tornemos parecidos com quem nos feriu. São sempre dois caminhos que se abrem: o primeiro, endurecer tanto e esfriar tanto o coração, que nos tornamos alguém semelhante a quem nos machucou; o segundo, absorver as lições que surgiram em nossa frente, tentar crescer com isso, sem contrariar nossa essência bonita e nosso coração bom. Sempre optei pelo segundo, por mais que a vida às vezes me empurrasse pra uma vontade de me vingar, de dar trocos, de ver os outros sofrendo do mesmo jeito que sofri. Espero que você sempre opte pelo segundo. Tenho certeza de que seu coração bom vai guiar você para o caminho da paz, da maturidade, da luz. São votos sinceros.

Desejo que você amadureça sem endurecer demais, que você levante mais forte depois das quedas, mas que não use essa força para dar o troco, que você se culpe menos, que você culpe menos as pessoas, o mundo, a vida, o Universo. Desejo que você nunca traia as coisas mais bonitas que existem na sua alma.

Depois de cada momento difícil, a gente muda. Espero que sempre pra melhor. Que as coisas ruins que acontecem não sejam capazes de tirar o que temos de mais lindo: nosso coração bom.

A GENTE MUDA PARA PODER SE PROTEGER. A GENTE MUDA PARA NÃO SE MACHUCAR MAIS COM ALGUMAS COISAS.

A GENTE MUDA POR QUESTÃO DE SOBREVIVÊNCIA.

Tô aqui para lembrá-lo que você merece ser feliz, sim.

Você consegue se lembrar quantas vezes você esteve feliz, mas não plenamente, porque não se sentia merecedor daquilo? Como se alguém fosse aparecer do nada dizendo: "Ei, essa felicidade não é sua, não, entregamos no endereço errado". Cê lembra quantas vezes você não conseguiu viver algo bom, da maneira profunda como deveria?

E é uma merda isso tudo. É uma merda se sentir tão pequeno a ponto de achar estranho estar feliz. É uma merda estar tão desacostumado com a felicidade, que quando ela vem, você fica achando que a qualquer momento ela pode acabar. Que alguém vai aparecer tomando ela de você. Mas eu preciso te dizer: ninguém vai tomar a felicidade que merece ser sua.

Ei, você merece ser feliz, sim. Você merece viver coisas boas. Você merece passar por coisas bonitas. Você merece. Sei que talvez você tenha se acostumado com a dor, com o cinza, com o triste, mas a vida não é isso, eu juro. Sim, às vezes as coisas boas deixam de existir em nossa vida, mas não porque você não é merecedor, e sim porque todas as coisas são transitórias. Tudo passa. Bom ou ruim.

Preciso que você, quando esbarrar numa oportunidade boa de ser feliz, agarre ela com toda a força e aproveite cada pedacinho, cada segundo, cada momento. Se motivos para sorrir apareceram em seu caminho, é porque estão destinados a você. São seus. Essa felicidade que está aí pulsando no seu peito, você merece. Essas notícias boas que têm surgido, você merece. Essa pessoa incrível que entrou em sua vida e quer te fazer bem, você merece. Aproveite, meu bem, se jogue nisso e aproveite.

Pare de achar que você não merece que coisas boas aconteçam em sua vida. Você é merecedor de todas as bênçãos e momentos felizes, ok?

QUE NADA
NESTE MUNDO
FAÇA VOCÊ
ABANDONAR A IDEIA
DE QUE VOCÊ
ESTÁ AQUI PARA

SER FELIZ.

Chega uma fase da vida que fica bem claro quem faz questão de nos ter ao lado em todos os momentos e quem só nos procura quando precisa de nós.

Eu não quero ser um guarda-chuva na vida de ninguém. Não que guarda-chuvas sejam ruins ou inúteis, pelo contrário, eles são importantes nos dias de chuva. Importantes e necessários. Há os que digam também serem úteis nos dias de sol, tendo a concordar. Mas a verdade é que eu não nasci para ser demandado pontualmente. Não quero alguém que me procure apenas nos dias de chuva. Não quero ser encontrado somente nos momentos em que eu sirvo para algo.

Não que eu queira ser imprescindível na vida das pessoas, isso me soa extremamente pretensioso. Mas eu quero fazer parte. Na hora boa e na hora ruim. Nos dias de sol e nos dias de chuva. Para o necessário e também para o banal. Claro que é lindo ser para alguém o porto seguro, o cantinho de conselhos e paz, ser abraço nos momentos difíceis. Serei. O que não impede que eu me faça presente nas horas de lazer, de riso, de bobeira e leveza. Eu quero estar para tudo. Tudo mesmo.

Dispenso forçar qualquer coisa. Não quero que minha presença seja imposta, mas torço e só quero estar na vida de quem me quer para todas as horas. Eu não tenho a intenção de ser apenas um bote salva-vidas na vida de alguém. Quero remar junto nos dias de maré tranquila e ajudar a salvar quando necessário for. Que me queiram por completo e não apenas quando sou conveniente. Que me queiram por inteiro, porque não sei ser metade ou pedaço.

Sou dos que vão sorrindo comer cachorro-quente do carrinho na esquina, e que sorri do mesmo jeito quando está na festa mais sofisticada, bebendo o champanhe mais caro. Dou conselhos e conto piadas. Abraço e dou broncas. Estou pra tudo, mesmo quando o tudo for apenas ficar lado a lado fazendo nada.

Não quero mais em minha vida pessoas que só me procuram quando precisam de um favor, um conselho ou dinheiro emprestado. Não nego ajuda, mas detesto quem só lembra da minha existência quando é conveniente.

Ou voa comigo, ou fica no chão com o arrependimento de me ver partir.

Quero a liberdade e alguém que venha voar junto comigo. Relacionamentos não são prisões, romances não são masmorras. Não aceito e não aceitarei algo que corte as minhas asas, que menospreze os meus sonhos e não me possibilite levantar voo. Para permanecer ao meu lado, é preciso saber que tenho uma vida independente de quem está comigo, tenho minhas individualidades, meus momentos de solidão e que não vou deixar nada engolir o meu próprio ser.

Quero alguém que confie, que me deixe ir quando não puder ir junto e que nunca me faça pedir permissão, ninguém é meu dono... não mesmo! Eu vou sair pra dançar, eu vou sair pra beber, eu vou fazer tudo com a maior responsabilidade possível. Tentarei levar junto, tentarei sempre ir junto também, mas só quero quem entenda que é preciso dar voos solo, e que isso tá tudo bem. Quero a confiança e ter motivos para confiar, saber que quando não vem junto, ou quando eu não vou, podemos confiar de olhos fechados. Utópico? Não acho.

Minha liberdade não tem preço, não tem negociação, não tem supressão. Quero voar junto, sonho com isso. Alguém que pegue suas asas e combine com as minhas e esteja disposto a alçar voo, caso contrário, que fique no chão com o arrependimento de me olhar batendo as asas, conquistado tudo o que poderíamos conquistar juntos, mas o medo, a falta de confiança, a cabeça fechada, o orgulho e tudo o que é tóxico... impediram.

**Amor que prende não é amor.
Amor que sufoca não é amor.
Amor que não voa junto não
é amor.**

que você nunca mais deixe alguém cortar suas asas.

agora que você já sentiu o gosto da liberdade
agora que já sabe como é bom
o vento tocando o rosto
e viu o que é plenitude e paz
tenho certeza de que não tem mais interesse
em voltar para cativeiros e
relações claustrofóbicas

finalmente você conheceu a si mesmo
e essa pessoa que você se tornou
(ou se descobriu)
não tolera prisões em forma de relacionamentos
não tolera asas cortadas e gaiolas
não tolera sufocos e apertos

essa pessoa
que você é hoje
quer apenas voar
e com sorte
no meio do caminho
encontrar alguém que goste de voar junto

é lindo quando a gente entende que amor sem liberdade não existe

PARE TUDO O QUE ESTÁ FAZENDO E OBSERVE ESSA PESSOA INCRÍVEL, CHEIA DE LUZ, DONA DE UM CORAÇÃO MARAVILHOSO QUE É VOCÊ. ORGULHE-SE DO SER HUMANO QUE VOCÊ SE TORNOU.

Você também já foi a pessoa tóxica.

Claro que já fui tóxico para alguém. Claro que já fiz merda. Claro que já magoei pessoas. Claro que já agi de maneira preconceituosa e depois aprendi que não se pode agir daquele jeito. Claro que já fui o errado da relação. Você não? É sério que alguém acha que nunca, em nenhum momento, feriu as pessoas que estavam ao seu redor?

É impossível viver sem se equivocar. É impossível viver sem vez ou outra tropeçar. É impossível não espetar as pessoas com nossos próprios espinhos. A gente machuca e é machucado quase o tempo todo. Relações humanas têm isso, e quase sempre são as pessoas mais próximas as que nos causam as maiores dores. Provavelmente, as pessoas que mais vamos machucar são aquelas que nós mais amamos.

Importante desenvolver a percepção de que às vezes somos nós a parte errada da história, somos nós que pisamos na bola, somos nós que fazemos besteira, que falamos bobagens, que temos comportamentos nocivos e tóxicos. É preciso parar com esse jogo de culpar todo, menos a si mesmo. Temos nossas parcelas de culpa.

Quase nenhuma relação acaba por culpa só de uma pessoa. É no embalo da convivência que de vez em quando a gente explode e os estilhaços ferem os outros. É no dia a dia, na rotina estressante, que a gente perde a paciência, que a gente fala o que não deveria ser dito, que a gente simplesmente falha. É normal, faz parte e sempre fará.

Policiar-se é fundamental, entende? Observar os comportamentos que temos e que acabam gerando impacto negativo nas pessoas, rever conceitos, admitir ignorância e buscar aprender, aceitar que a perfeição é inalcançável, mas que podemos crescer e melhorar todos os dias. Cabeça fechada é um dos piores lugares para se morar.

**Você vai errar.
Você vai ferir pessoas.
E é a forma como você reage
e aprende com isso que
realmente importa.**

Todo mundo faz merda. Às vezes magoamos pessoas que amamos. Errado mesmo é quem não aprende e não tenta consertar e amadurecer.

Já fui a pessoa errada para alguém. Não quero ser o tipo de pessoa que sempre sai das histórias achando que fez tudo perfeito e não errou. Errei, errei muito. Por imaturidade, por comodidade, por medo e algumas vezes por motivos que até hoje não sei. A gente erra. A gente erra bastante.

Já deixei pessoas incríveis irem embora de minha vida. Já fiz pessoas incríveis irem embora de minha vida. Às vezes minha companhia foi tóxica e destrutiva. Tive momentos de birra infantil e imaturidade pura. Existiram situações em que eu pude fazer mais e não fiz, em que faltou empenho, dedicação, esforço, atitude.

Não estou chorando pelo leite derramado, mas a autorreflexão é sempre bem-vinda. Também não me martirizo, a verdade é que aprendi muito com todas as vezes que fiz besteira, que deixei a desejar. Todas as vezes que fui imaturo, me ensinaram, e acabei amadurecendo depois. Não me culpo nem carrego pesos desnecessários em meu coração. Fui o que dava para ser naqueles momentos, baseado na minha maturidade, vivência e experiência.

O que eu me cobro (e sempre vou cobrar) é não repetir os mesmos erros ou, pelo menos, evitar ao máximo reincidir. Faço de tudo para agir melhor, para me comportar de maneira mais madura, revejo e policio meus atos, tento não ser tóxico e tento tornar minha companhia leve e minha vida um lugar convidativo e aconchegante.

Não suporto hipocrisia e não tolero pessoas que se acham perfeitas e infalíveis. É preciso fazer um exame de consciência, rever as atitudes, sabe? Porque às vezes somos nós as pessoas egoístas, somos nós as pessoas acomodadas, somos nós as pessoas que precisavam demonstrar mais, falar mais, agir mais. Em alguns momentos da vida, o errado foi você. Aprenda, conserte, amadureça.

Ou você aprende com as merdas que fez, ou elas sempre vão se repetir, se repetir e se repetir.

seja sempre a melhor versão de si mesmo

deixe o melhor de você
coloque sempre a melhor parte do seu coração
ao tocar outras pessoas
seja sempre honesto
afetuoso
gentil
todo mundo está enfrentando uma tempestade parecida com
as que você enfrentou

tenha empatia
ouça de verdade
preste atenção de verdade
enxergue de verdade
esteja presente de verdade
mergulhe nas pessoas
as pessoas precisam que você mergulhe nelas

sim, você já se decepcionou muito
sim, as pessoas às vezes são cruéis
mas, no final do dia, é você e sua consciência
é você e você

VOCÊ ESTÁ DANDO O SEU MELHOR.

VOCÊ ESTÁ FAZENDO O QUE PODE, COM A MATURIDADE QUE TEM, NÃO SE CULPE NEM COLOQUE PRESSÃO DEMAIS EM SI MESMO.

É lindo quando alguém desperta novamente em nós o frio na barriga, o riso, a vontade de dançar...

Me conte como foi seu dia, como andam as coisas no trabalho, sobre o que você viu pela janela do carro durante o engarrafamento. Me conte uma piada boba, uma história engraçada, algo que te deixe vermelha e embaraçada. Me conte o que você espera da vida, seus sonhos, uns planos malucos que cê não gosta de contar pra ninguém com medo de ser julgada.

Me inclua na sua vida, na sua rotina, na sua agenda. Deixe eu morar em algum cantinho do seu coração, algum lugar que tenha vista pro seu sorriso e que me permita ter espaço para dançar de alegria por ter você. Deixe eu cuidar de você, deixe eu te proteger, deixe eu utilizar todos os clichês e frases de músicas românticas que eu puder aplicar.

Nós podemos viver aquilo que só vimos em comédias românticas dos anos 1990. Uma história com direito aos risos mais sinceros e uma leveza que nos fará acreditar que é possível sim tocar as nuvens. E por falar em nuvens, não te quero distante, é insuportável te ver longe, por mais que eu me ame e consiga ser inteiro e completo sozinho. Com você fica melhor, fica mais doce, mais colorido.

Eu sei exatamente o que é viver momentos cinzas, e com você isso parece passado distante. Você me mostrou uma nova paleta de cores, sensações novas e desconhecidas até então, resgatou coisas em mim que eu nunca mais achei que poderia viver. Deu ar de novo ao que estava velho e desbotado.

Costumo exagerar e achar que qualquer coisinha é amor. É a intensidade que me faz mergulhar de cabeça em todas as possibilidades de ser feliz. Mas desta vez, ah, desta vez algo no meu peito está gritando, apitando, fazendo sinal de fumaça, de que é amor. Espero que em algum lugar do seu peito tenha alguma sementinha florescendo e dizendo: "É recíproco". Porque se for, hmmm... o mundo é nosso.

A gente sofre tanto por alguns romances, que quando aparece novamente alguém legal, até assusta...

Pouca gente permanece em nossa vida, mas o essencial fica.

Entro no avião, encontro minha poltrona, ajusto os fones de ouvido, procuro a playlist mais pertinente para dançar perto das nuvens. Salvador-Fortaleza. Nuvens e música boa tocando. Tudo calmo no coração até a segunda música entrar em ação. A segunda música me toca profundamente, me faz lembrar de alguém que um dia foi especial, mas que ali, naquele momento, já não tinha lugar em minha vida. Mais algumas músicas tocaram, e outra canção me lembrou outra pessoa que também já fora especial, mas que também já tinha ficado no passado, sem nenhum resquício de presença na rotina.

Após o segundo lembrete musical, isso tudo já virou um debate, uma questão. Gasto os minutos restantes do voo pensando e recapitulando a quantidade de pessoas que foram importantes em algum momento da minha história e que hoje já não têm nenhuma espécie de presença, contato, vínculo. Uma infinidade de almas e corações que em algum momento, de forma intensa ou moderada, formaram alguma conexão comigo. Não que isso cause alguma espécie de dor, eu juro que não fazia questão de pensar nisso, mas estava ali, lembrando nomes, recordando momentos, revivendo mentalmente situações e, principalmente, elencando os motivos das despedidas.

Em algumas a culpa foi minha, em várias outras, não foi, mas na maioria foi simplesmente a vida, bela e implacável, cruel e incrivelmente boa. A vida faz um filtro natural, vai afastando, vai testando determinadas conexões até que elas fiquem mais e mais fracas e se percam. A vida coloca um no norte e o outro no sul e, mesmo com tantos meios de se manter uma conexão forte e acesa, nós, por preguiça, desinteresse ou simplesmente fraqueza de sentimentos, vamos ficando inertes e deixando os vínculos escorrerem pelo ralo.

Talvez porque a esmagadora maioria dessas pessoas não fosse essencial, o que me leva ao centro de todo este raciocínio: quanto mais velhos ficamos, menos amigos temos, mas os que ficaram depois das tempestades e dos efeitos do tempo, são essenciais, imprescindíveis, necessários. São pessoas que se tornaram parte importante da vida e da rotina. Pessoas com quem a conexão se mantém intensa, mesmo sem contatos frequentes, mesmo sem presenças constantes. Gente que quando as coisas apertam, na hora do "vamo ver", surgem e apoiam, são ombro amigo e porto seguro.

Chego em Fortaleza confirmando que não devo carregar pesos ou culpas. No fim das contas, ficou quem teve que ficar, ficou quem é essencial, quem faz questão, quem vê em minha vida um lugar bom para permanecer. O resto, levo uma gratidão enorme pelos momentos bons e pelos aprendizados dolorosos e necessários. Tá tudo bem.

Quanto mais velhos ficamos, menos amigos temos. Mas isso não é necessariamente ruim, ficam sempre os essenciais e as "perdas" são, na verdade, livramentos.

O MUNDO GIRA,
E EM UMA DESSAS VOLTAS QUEM É PARA SE ENCONTRAR, SE ENCONTRA.

É no Dia dos Namorados que você percebe realmente se está feliz solteiro.

Dia dos Namorados traz um emaranhado de sentimentos. Você abre as redes sociais e vê uma leva de fotos de casais, declarações de amor, frases de efeito sobre o quanto o amor está no ar, promessas de amor eterno. Você, solteiro, faz uma conta simples de cabeça e tenta lembrar quantos Dias dos Namorados passou sozinho desde a última vez que namorou, ou recorda que, nesta mesma data, no ano passado, estava comemorando com alguém.

Dia dos Namorados é um momento bastante oportuno para perceber se você está feliz solteiro. Não digo imune àquela sensação de "Poxa, seria bom ter alguém legal ao lado, estar vivendo uma história bonita", digo imune à tristeza e achar que por estar solteiro sua vida está uma merda. E aí entrar num loop de baixa autoestima, de ausência de amor-próprio, de autocrítica.

Estar solteiro não é castigo nenhum. Estar solteiro é bom, assim como estar dentro de um relacionamento feliz com alguém. Porque tudo começa de dentro pra fora e não de fora pra dentro. Relacionamentos amorosos são apenas uma esfera da sua vida. Uma, dentre outras tantas. A felicidade é uma construção. É a soma de um montão de coisas, de pequenos fragmentos que juntos formam algo bom dentro de nós.

Se você não consegue ser feliz solteiro, também não conseguirá ser feliz ao lado de alguém. Pode até haver uma sensação de felicidade no começo da história, mas logo você vai perceber que ela é brisa passageira. Porque ninguém consegue ser bem-sucedido a dois antes de ser bem-sucedido sozinho. Simples assim, ou deveria ser simples e a gente que complica tudo, né?

Por isso, quando o Dia dos Namorados chegar, espero que você se dê conta, se estiver solteiro, de que estar solteiro é bom pra caramba, que existem lindas oportunidades de ser feliz estando solteiro, que há motivos para comemorar, sim, que independentemente do status de relacionamento, você precisa estar inteiro e completo sem precisar que alguém seja sua outra metade. Que você finalmente perceba que ninguém vai chegar para te completar, as pessoas só chegam para ser o transbordo. Você é o copo cheio.

É libertador entender que ninguém vai chegar para te completar. Você é completo sozinho. Os outros chegam para compartilhar felicidade, não para trazê-la.

Você não perde o que não é seu.

Poucas coisas são nossas, nossas mesmo. É importante perceber que a maioria delas *está* nossa, e não *é* nossa. Temos essa mania de nos apegar, de tornar as coisas parte integrante do nosso ser, de fazer com que as despedidas sejam um martírio, porque simplesmente acreditamos que não vivemos sem essas coisas. Claro que perder algo importante vai doer. Seria estranho se não doesse. Vai doer, o problema é achar que essa dor é o fim do mundo. Não é. Nunca será.

Porque cada coisa existe em nossa vida no momento em que precisa existir nela. Chegam, ensinam, fazem bem, fazem mal, fazem parte. As coisas que chegam na hora errada, talvez não tenham chegado na hora errada, elas chegaram na hora em que conseguiram chegar, que você conseguiu buscá-las ou atraí-las para sua vida. Não dá pra viver preso ao "e se tivesse chegado em outro momento?". Você só tem aquele momento e é naquele momento que elas vão ensinar e fazer o papel delas em sua vida.

Por isso, é importante saber que quase nada é nosso, apenas está nosso. Isso ajuda o apego se tornar menor. A gente vive, dá o melhor, se esforça e depois de um tempo se despede. Não é melhor saber ser grato ao que foi vivido em vez de se revoltar pela durabilidade das coisas? Prefiro acreditar que quando uma coisa vai embora de nossa vida é porque outra está chegando. Não necessariamente melhor, mas outra, com algum aprendizado fresquinho. A vida é, sobretudo, viver os momentos com a intensidade necessária e saber se desprender deles depois que cumprem as funções e ensinam algo.

Uma notícia importante: você continua apesar das perdas. Qualquer perda. Por mais dolorosa e brusca e violenta que ela seja. Você segue, e é importante saber que existem inúmeros motivos para seguir. Os ciclos se encerram. As portas se fecham. As despedidas são constantes. Cabe a você saber absorver os aprendizados e se permitir viver outras coisas, outras histórias, outras situações. Cê tá aqui pra ser feliz, e felicidade também é sobre saber perder.

> **Vai doer, é normal, mas você precisa saber se despedir e entender que alguns ciclos se encerram para que novas coisas cheguem. É a vida.**

SE VOCÊ DEU AMOR,
SE VOCÊ SE IMPORTOU,
SE VOCÊ TRATOU BEM,
SE VOCÊ COLOCOU O
SEU MELHOR: QUEM
PERDEU NÃO FOI

VOCÊ.

Às vezes esperamos muito das pessoas e, quase sempre, isso nos faz quebrar a cara.

Sempre fui aquele tipo de pessoa que se apaixona fácil, que com pouquíssimo tempo já está fazendo planos, que cedo ou tarde acaba metendo os pés pelas mãos. Sempre tive esse lado intenso e impulsivo, ouso dizer que é mais do que um lado, é quase o todo. A intensidade me faz querer muito, querer tudo, querer agora.

Por muito tempo não aproveitei plenamente o momento, pois estava já pensando no futuro, às vezes até adiantando problemas que nem existiam. Culpa também da ansiedade, mas não é bem sobre isso que quero falar agora. O ponto em que quero chegar depois dessa introdução toda é dizer o quão nocivo é criar expectativas demais e esperar demais das pessoas.

Esperei muito, muito mesmo. Acabei colocando pressão demais nas pessoas com quem me envolvi. Acabei exigindo e cobrando coisas que não deveriam ser cobradas e exigidas. Esperei comportamentos alheios me pautando pela ideia de que as pessoas sentiam, pensavam e queriam igual a mim. E não é assim, nunca é assim. Primeiro, a gente entende que cada um sente de um jeito, cada um demonstra de um jeito, cada um é de um jeito. Não existem termômetros para medir a intensidade que cada um sente o que sente (ou se sente). Não dá para achar que porque agiríamos de jeito A ou B, o outro vai agir também. Não para esperar que alguém nos dê exatamente aquilo que queremos. É pedir para se frustrar.

Não, as pessoas vão dar e demonstrar aquilo que podem oferecer, e, quanto menos expectativas forem nutridas, melhor. Diminuem sensivelmente as possibilidades de quebrarmos a cara. Não impede, mas evita. Num mundo ideal, todas as pessoas deveriam ter a responsabilidade afetiva como norte na hora de se relacionar, o que faria com que deixassem claro o que querem, o que não querem, o que têm dúvidas, o que gostam, o que não gostam. Isso faria com que pudéssemos nos precaver e nos dá a possibilidade de prepararmos pelo menos o paraquedas. Infelizmente, isso tudo é raro, bem raro.

Então, acaba ficando tudo nas suas mãos. É você quem precisa criar escudos e barreiras para proteger seu coração e sua saúde mental. É você quem deve tentar ao máximo exercitar o pé no chão e o foco no presente. É você quem deve dar um jeito de ser e se sentir completo. É você quem precisa se amar, se dar carinho, se cuidar. Quanto menos você espera e depende de alguém, menos você se machuca nas relações humanas. Quanto mais completo você for, menos você vai esperar das pessoas. As pessoas vão chegar para transbordar, para somar, para complementar algo que já é bom.

Que você consiga ser tão inteiro, que nunca fique dependendo de restos e pedaços de alguém para ser feliz.

Nada neste mundo vale mais do que a minha paz. Se custa minha paz, sempre será caro demais.

Faço de tudo para ter paz. Minha paz está em primeiro lugar. Sempre. Tive que fazer escolhas difíceis para preservá-la. Tive que me despedir de pessoas que sempre achei fundamentais em minha vida. Tive que desfazer amizades que se tornaram tóxicas, apagar contatos para não cutucar a saudade, aguentar firme durante os sábados de carência, para não procurar pessoas que no fim das contas me fazem sofrer e tiram meu equilíbrio e tranquilidade.

Mantenho minha paz como o norte de qualquer escolha. Ela é o filtro necessário. Se traz paz, vale a pena, se não traz paz, não vale. Simples na teoria, um tanto mais complicado na prática, porque tem coisa que a gente só descobre depois o quanto vai machucar. É preciso estar sempre ligado para, nos primeiros sinais de prejuízo à paz e saúde mental, saber se defender, se afastar, cortar o mal pela raiz.

É você, sabe? Ninguém vai se responsabilizar por fazer a proteção da sua paz. Quase ninguém vai parar para pensar se determinadas atitudes podem ou não machucar você. Então, saiba a hora de se colocar em primeiro lugar, saiba a hora de fazer escolhas que vão desagradar alguns, mas que são exclusivamente para blindar a sua saúde mental. Saiba se posicionar e deixar claro quais comportamentos das outras pessoas te machucam, porque, na maioria do tempo, está cada um olhando pro seu próprio umbigo. Perceba a hora que olhar pro próprio umbigo é válida e necessária. Sem paz a gente não funciona. Sem paz, tudo parece desorganizado e dá errado. Sem paz, a gente perde o fôlego rápido e deixa de lutar por coisas que nos fazem felizes.

PARA MANTER A PAZ, ÀS VEZES, É PRECISO:

1. COLOCAR-SE EM PRIMEIRO LUGAR
2. CORTAR ALGUNS VÍNCULOS
3. FECHAR ALGUMAS PORTAS E CICLOS
4. APAGAR ALGUNS CONTATOS E BLOQUEAR ALGUMAS PESSOAS
5. DIZER MAIS "NÃOS"

Você tem que parar de achar que o valor das coisas está na dificuldade de consegui-las.

Em algum momento de nossa vida nos foi ensinado que tudo que vale a pena necessita de esforço e sacrifício. Isso não é necessariamente uma mentira, mas a grande mensagem que fica encravada na gente é que se algo está difícil e não estamos conseguindo facilmente, é porque essa coisa vale a pena, e isso não é verdade. Tem coisa que simplesmente não vale a pena, mesmo depois de tanto esforço para consegui-la. Tem coisa que vai ser fácil de conseguir e valerá a pena, sim. O valor das coisas não está na dificuldade de conquistá-las.

É preciso desconstruir essa ideia de não dar valor ao que foi conquistado facilmente. As coisas não precisam ser sempre difíceis. O fácil também é bom. O fácil pode ser o que você realmente precisa. O simples também tem valor. A gente não precisa achar que a felicidade é o topo da montanha, o topo da montanha pode fazer alguém feliz, mas talvez você seja feliz no meio, no terço final, no começo da montanha.

Às vezes a felicidade está a dois metros de você e você nem percebe porque está focado demais na ideia de que a felicidade está a dois quilômetros. Às vezes o amor está do seu lado e você acha que o amor está em fulano, que nunca deu bola pra você e você insiste, insiste e insiste, na esperança de que um dia vai rolar.

Temos que parar na intenção de reavaliar essa romantização da insistência, do sacrifício, do ir até a última gota de suor. Nem sempre a gente vai precisar sofrer para conseguir o que a gente realmente precisa. De vez em quando, o que você precisa vai estar ao alcance das mãos. Fácil, simples, acessível. É só saber prestar atenção.

Não tem nada de romântico ou bonito em insistir em algo que prejudica sua saúde mental e tira a sua paz. Insistência que te destrói não é persistência nem força.

Algumas promessas não foram falsas, foram só precipitadas.

Não ficar refém de promessas é essencial. O vento sempre leva as palavras, isso é fato. Não perdi a crença nas pessoas, longe disso, mas não fico preso ao que elas me prometeram. Elas mudam, eu mudo. É assim que as coisas funcionam. Por mais que a gente prometa e fale do fundo do coração, é verdade ali, com toda a força, mas não é uma certeza. Nunca é. Já não sou a mesma pessoa que prometeu algo cinco anos atrás. Ninguém pode ser.

Vivo o agora, abraço as certezas do hoje, o que é palpável no momento, o que me parece minimamente concreto. Confio no que está diante dos olhos: as atitudes, os gestos, as reações, os comportamentos. Palavras só são palavras. O que sobra depois de tudo são os momentos. Acredito neles, só neles.

As promessas que escutei não foram cumpridas. Quase nunca são. Mas os momentos estão vivos na memória, os resquícios das outras pessoas, o que elas me ensinaram, o que as situações vividas me trouxeram de crescimento. Não dá pra apagar. Não vou dizer que o que foi dito era mentira, não era. Era verdade, naqueles termos, naquele momento, naquela temperatura. O calor do momento não torna as coisas inverídicas. Não encaro precipitação como mentira.

O ideal seria a ausência de expectativas e promessas. Tento não criá-las. Mas às vezes é impossível que não nasçam em nós a esperança, a sensação de construção de futuro, a nítida visão de que aquilo tudo pode durar e até ser pra sempre. É necessário desenvolver um equilíbrio entre se jogar de cabeça e viver aquilo de uma maneira intensa e bem vivida, e a ideia de que a maioria das coisas não dura, ou dura e termina.

O fim não anula o que foi vivido. As promessas não cumpridas não significam que foram falsas. As pendências e planos frustrados não querem dizer que houve ausência de vontade de fazê--los entrar em prática. É fundamental não se tornar partidário da ideia de que as coisas só dão certo quando saem do jeito que esperávamos. Talvez pudesse ser de outro jeito, talvez algumas promessas pudessem ser cumpridas. Pensar nisso só desgasta.

Hoje, não me prendo às promessas e expectativas, só me apego ao que é concreto, às atitudes. A única promessa que quero é a de tentar fazer dar certo todos os dias. O futuro só pertence a Deus.

Demora, dói, mas a gente acaba se acostumando a viver sem pessoas que pareciam fundamentais.

Sabe qual a pior parte de um término? Não é o motivo, por mais que ele quase sempre seja doloroso. A pior parte é se acostumar novamente a viver sem o outro. Não que não saibamos viver sem aquela pessoa, não que nossa vida seja dependente dela, nada disso, é que o outro fica impregnado na gente, e vice-versa. Ficam pegadas e impressões digitais espalhadas por todos os cantos da vida, e é isso que nos faz cutucar as feridas com uma frequência maior.

Ninguém está imune a ninguém. Ninguém passa incólume ao outro. Sempre fica algo em nós, e quanto mais duradouro, mais vestígios. A bagagem interna é gigantesca. Da parte física a gente se livra. Devolve os moletons, os CDs que ficaram, a escova de dentes que ficou no banheiro. O detox material é fácil e muitas vezes simples. O da nossa memória, não.

É preciso aceitar que algumas coisas não são possíveis de apagar. É preciso aceitar que o esquecimento não é tão ao pé da letra. É preciso aceitar que as lembranças vão vir fazer uma visita, e que geralmente são nos momentos menos oportunos. A nostalgia é normal, a pergunta: "E fulano, cadê?" vai ser normal por um bom tempo nos almoços de domingo. As lembranças gostam de dar as caras.

Mas uma notícia boa: chega um momento que as lembranças se tornam só lembranças e não um incômodo ou mal-estar. Chega um momento onde elas deixam de ser saudade, porque você não é mais a pessoa que viveu elas. Chega, finalmente, o momento em que você olha pra trás com carinho e com gratidão. Foi bom. Foi ruim. Simplesmente, foi.

Quando as lembranças vierem te incomodar, mostre pra elas que sua vida seguiu, que você tá superando e que não tem interesse em reviver nada.

FORÇAR NÃO ADIANTA NADA. OU FLUI DE MANEIRA NATURAL OU NÃO É A COISA CERTA PRA VOCÊ.

Quanto menos expectativas, menos decepções.

Espero que um dia você deixe de esperar na janela. Que simplesmente pare de amontoar expectativas no canto da sala. Que dê uma folga ao coração. Espero que um dia você, finalmente, pare de aguardar que as pessoas te deem amor, carinho, afeto. Que você resolva dar a si mesmo tudo aquilo que sempre sonhou em ver alguém fazendo.

Porque uma das piores bobagens que fazemos é essa de ficar esperando demais das pessoas. Esquecemos coisas fundamentais. A primeira, simples e direta, é que ninguém tem obrigação de nos dar nenhuma espécie de sentimento. Ninguém, eu escrevi, NINGUÉM, tem obrigação de nos valorizar, de nos dar amor, de nos fazer bem. Essa é uma obrigação nossa, só nossa.

Quanto mais expectativas e mais esperarmos das pessoas, mais a gente se frustra, mais a gente se desgasta, mais tempo a gente perde. Por isso, é tão importante que nossa relação com nós mesmos seja tão pacífica e completa. Quando a gente está completo, as pessoas deixam de ser um meio para nossa felicidade. Elas não deixam de ser importantes, mas deixamos de depender emocionalmente de qualquer espécie de gesto. Tudo, tudo, tudo de bom que vier será bônus.

Não. Você não vai deixar de querer as pessoas perto, não vai deixar de gostar de companhia, não vai se fechar dentro de uma concha. Não. Você, com muito exercício de amor-próprio, carinho e autocuidado, vai ser a pessoa certa para si, e todo o resto vai virar um belíssimo transbordo. Se as pessoas não te tratarem da maneira que seu coração merece, você vai saber dizer adeus. Se as pessoas te tratarem do jeito devido, "oba, vamos transbordar!".

Que nunca mais você coloque sua vida em stand-by esperando o amor alheio.

Um dos momentos mais importantes da vida é quando você se torna a pessoa certa para si mesmo.

Você vai precisar se tornar a pessoa certa para si mesmo. Não tô dizendo para você se tornar distante das pessoas, esfriar o coração, não querer boas companhias, se fechar para relações. Nada disso. Mas é de suma importância se tornar para si mesmo a melhor companhia possível. Ser completo, entende?

Ser completo não significa não ter pessoas importantes, significa saber que elas são importantes, mas você não depende delas para ser feliz. Elas te ajudam a ser feliz? Claro. Elas contribuem para seus dias serem bons? Óbvio. Mas você também saberá ser feliz sozinho. Sair sozinho, dançar sozinho, ir ao cinema sozinho, ir no seu restaurante favorito sozinho. Tudo isso se tornará prazeroso de ser feito sozinho, tanto quanto seria se tivesse a companhia de alguém incrível.

É gostoso estar em boa companhia, isso é inegável. É gostoso ser uma boa companhia para si mesmo, isso é fundamental. A pessoa que sabe fazer tudo sozinha e se sente bem fazendo, entendeu tudo sobre amor-próprio e autocuidado. Não ficar refém de expectativas, sentimentos alheios, atitudes alheias e convites é uma liberdade necessária. Garanto que você nunca vai se sentir tão livre como nas vezes em que não encontrou companhia para algo e, mesmo assim, foi lá sozinho, curtiu sozinho, viveu aquelas experiências sozinho. Tenho certeza de que várias pessoas acham você uma companhia incrível, se permita descobrir que você é, sim.

Quando você conseguir perceber que consegue ser feliz sozinho, aí sim saberá o que é liberdade.

É UM MOMENTO IMPORTANTE QUANDO PERCEBEMOS QUE NÃO PRECISAMOS DE VÁRIAS COISAS QUE QUEREMOS.
É LIBERTADOR.

Às vezes a culpa é sua.
Você que stalkeia, você que procura, você que fica cutucando as feridas.

Às vezes a culpa é nossa, mesmo. Não que tenha sido nós que fizemos as feridas surgirem, mas às vezes somos nós que não deixamos elas cicatrizarem. Mexemos demais, sabe? Porque não adianta achar que superar é um processo mágico e cem por cento involuntário, não é bem assim, nós precisamos fazer nossa parte.

Não adianta querer superar e ficar stalkeando. Não adianta querer superar e ficar procurando, mantendo contatos frequentes, trazendo para perto aquilo que nos fere. Ninguém se cura abraçando aquilo que causa a dor. Por mais que algumas atitudes sejam difíceis, todas elas são necessárias. Não tem como exigir da vida um recomeço, se você não se permite recomeçar. Você é o principal responsável por sua volta por cima. O tempo e a cicatrização só fazem o papel deles quando você também faz o seu.

Sei que é difícil. Sei que a gente se acostuma a ter e demora um tempo até nossas células aprenderem que tem que deixar de querer aquilo. Sei que é difícil deixar ir algo que parecia fundamental para sua existência. Sua rotina toda estava permeada por aquela presença e por aquela relação. Mas, ou você se permite seguir em frente e para de mexer naquelas feridas, ou sempre vai se ver sangrando e sofrendo e vivendo momentos nostálgicos que te colocam para baixo.

**Aprenda a fechar algumas portas,
ou você nunca vai conseguir
caminhar para outros lugares.**

A SUPERAÇÃO VAI COMEÇAR QUANDO VOCÊ **PARAR** DE CUTUCAR AS FERIDAS, PROCURAR E STALKEAR.

Algumas coisas só serão nossas quando tivermos maturidade e estivermos prontos.

Algumas coisas não serão suas. Nunca. Simplesmente não serão. Desculpe a dureza nas palavras. Outras coisas serão perfeitamente suas, como se fossem desenhadas e programadas para pertencerem a você. Alguns sonhos nunca serão realizados. Alguns vão se realizar incrivelmente. Alguns planos vão dar errado e outros vão dar certo demais. Porque a vida é isso, meu amor, a vida é cheia de idas e vindas, de perdas e ganhos, e se frustrar é parte constante de qualquer caminhada.

Algumas coisas só acontecerão quando você tiver a maturidade para consegui-las. Muitas vezes conquistamos algo e não temos a maturidade de fazer durar, de cuidar, de aproveitar verdadeiramente. Aí as coisas parecem que não eram pra ser, mas a verdade é que talvez até sejam, mas não naquela hora. Não com a maturidade que você tinha. Tudo tem um tempo certo. É lindo quando entendemos que não dá pra forçar o tempo das coisas. É incrível quando percebemos que não dá pra forçar nosso tempo.

Quando as coisas surgem em nossa vida e temos maturidade para vivê-las, logo vem a sensação de que aconteceram no tempo certo. Um minuto antes não seria tão bom, e dois minutos depois pareceria tarde demais. Maturidade é também entender que as coisas têm o tempo certo para florescer. Se você as quer muito, vai precisar regar, cuidar, colocar amor e ter paciência. Paciência é a alma do negócio. Entender tudo isso é o que traz paz pro coração.

Que você entenda que não dá para forçar o tempo das coisas. Tudo tem o tempo certo. Você tem seu próprio tempo.

QUE VOCÊ SAIBA RESPEITAR SEU TEMPO E ENTENDA QUE TUDO TEM UM MOMENTO CERTO PARA ACONTECER.

Nunca, em hipótese alguma mesmo, cobre reciprocidade.

É sempre um momento libertador entender que, apesar de doloroso de vez em quando, ninguém, eu disse NINGUÉM, tem obrigação de nos dar sentimento algum. Primeiro, que ninguém consegue controlar o que sente, seria lindo se a gente conseguisse controlar o coração, escolher a quem amar, escolher quem esquecer, escolher a intensidade do que é sentido. Seria fantástico, mas isso simplesmente não existe.

Ninguém dá sentimentos que não podem ser dados. É como eu sempre digo: sentimento forçado não floresce. Ninguém tira do coração para dar a alguém o que não existe ali dentro. É como aquela frase antiga: "Não dá para disfarçar um amor", também não dá para fingir que tem amor, que deseja, que gosta. Ou os sentimentos são dados de graça, ou não são da sua conta. Dói, mas é simples.

Nos libertamos e as relações ficam beeeem mais simples quando entregamos aquilo que sentimos, vemos aquilo que o outro mostra na prática, e aí decidimos se é suficiente para nós ou não. Se você precisa cobrar, você está no lugar errado. Se você precisa forçar, você está no lugar errado. Se aquilo que o outro tem para oferecer não agrada o seu coração, e você sente que não vai ser feliz naquele contexto, é lindo e responsável se despedir.

Entenda de uma vez que reciprocidade não é obrigação, se ela existe, vale a pena, se ela não existe, não vale. Não tem meia reciprocidade. Não tem meio sentimento. Se você precisa exigir, não é pra ser seu, ok? Quando for recíproco, você vai sentir, vai estar na cara. Você, depois de um breve tempo, não vai mais se perguntar: "Será que é recíproco?", vai estar estampado na testa e olhares.

**Meu bem, entenda:
o sentimento que é pra ser seu,
flui leve, simples
e espontâneo.**

Às vezes me assusta ver tudo dando certo.

Em um certo ponto da minha vida, em que a maioria das coisas estava dando errado, acabei me acostumando com o caos e com as decepções. Por bastante tempo perdi minha capacidade de me surpreender com as coisas ruins que aconteciam. Meu coração esfriou, simplesmente ficou duro e insensível. Claro que minha essência não mudou, no fundo eu continuava doce, carinhoso, caloroso, positivo, mas vesti uma certa capa que me impedia de acessar todas as coisas bonitas que fazem parte da minha alma e do meu coração.

Se a gente não levanta e tenta quebrar o iceberg que nos rodeia depois de tantas frustrações, a tendência é que ele cresça e cresça e cresça e torne cada dia mais difícil sair de dentro dessa energia fria. Ou tomamos o controle, ou as decepções nos controlarão. Triste caminho.

Tive a sorte de levantar e quebrar o gelo que tentava me fazer acreditar que a vida é fria e sem graça. Foi um processo lento, e talvez ele nem tenha acabado, a verdade é que eu ainda me assusto um pouco quando as coisas estão dando muito certo. Deveria ser o contrário, sabe? Eu estar acostumado com as coisas boas e me surpreender negativamente com as coisas ruins. É que por um longo período as coisas foram um tanto difíceis e cinzas.

Mas as cores voltaram e tenho entendido que este é o normal: cores, luzes, sorrisos, conquistas, momentos para comemorar e agradecer.

As coisas ruins fazem parte, as fases ruins vão continuar acontecendo, mas agora eu entendo que elas são exceção e não a regra. Deixo de me assustar quando as coisas estão dando muito certo, porque simplesmente entendi que tô plantando todas elas, tô na frequência certa, jogando pro Universo a energia boa, e quando a gente age assim, Deus sempre nos abençoa.

Que a gente se ache merecedor de tudo de bom que acontece. Nós merecemos, sim. Plantamos coisas boas e vamos colhê-las.

O que sobra depois do fim?

Quando termina parece que passou um furacão, né? A gente olha os destroços do que foi firme e concreto, dá um aperto no coração ver tudo em pedaços. Alguns pedaços ainda são tangíveis, dá para ter um momento de nostalgia e gratidão, mas a verdade é que raramente vamos poder reconstruir as coisas da maneira que elas existiram. Nada do que foi será. Essa é a primeira lição que você aprende depois do fim.

Depois que acaba, sempre aparecem perguntas dançando na nossa cabeça. "Será que eu poderia ter feito mais?", "Será que eu dei o meu melhor?", "Será que eu vou conseguir me reerguer?", "Será que foi o melhor a ser feito?", "Eu vou superar?". É normal se sentir desnorteado, furacões e términos fazem isso.

Mas o que realmente sobra depois do fim, além dessa sensação de estar desnorteado e das perguntas e incertezas? Ah, fica tanta coisa e, principalmente, fica você. Você fica. Você sempre fica. Depois dos términos, depois das despedidas, depois dos destroços, depois da saudade, depois das incertezas. Você permanece, apesar de tudo, independentemente do contexto, da situação, do tamanho da dor.

Você fica e dentro de você existem mil e uma formas de seguir em frente, de recomeçar, de ser feliz, de sorrir, de continuar vivendo... de ser leve. Porque a vida não precisa ser pesada depois dos pontos-finais, o mundo simplesmente não acabou ou ficou cinza. O Universo continua cheio de cores e possibilidades, a vida continua lá fora, atrás das cortinas e acima dos cobertores e lágrimas.

Depois do fim, cedo ou tarde vem a certeza de que a vida continua. A vida sempre continua, meu bem.

Você merece o mundo.

Você merece o mundo e cada pedacinho de felicidade que ele pode te oferecer. Merece os sorrisos mais puros, beijos na testa antes de sair de casa para conquistar o Universo e cafuné antes de dormir. Cê merece ter paz, ter a mente tranquila para escolher os melhores caminhos e emoções boas que façam seu coração dançar.

Você merece encontrar pessoas que te enxerguem de verdade, que entendam que você passa longe da perfeição, que está sempre tentando acertar, mas que ainda erra bastante. Você merece ver a primavera e receber flores e dar flores a si mesmo. Você merece companhias boas para te aquecer no inverno, mas que elas sejam mais do que apenas pele na pele.

Você merece a cura, o aprendizado, o autoconhecimento. Merece a festa e a calmaria. Merece o profundo e ver beleza também no raso, porque como dizem por aí: "Superficial é achar que a vida é feita só de profundidade". Você merece colher tudo de bom que tem plantado, que a lei do retorno não falhe, que o mundo gire a seu favor.

**Você merece o mundo,
mas ninguém vai dá-lo
pra você.
É você por você, ok?**

Vai passar.

Vai passar e você vai voltar a sorrir.
Vai passar e seu coração vai encontrar a paz.
Vai passar e as feridas vão cicatrizar.
Vai passar e não vai mais doer.
Vai passar e você vai conseguir rir de tudo isso.
Vai passar e sua consciência ficará tranquila.
Vai passar e você vai se sentir leve.
Vai passar e você vai crescer.
Vai passar e você vai recuperar a autoestima.
Vai passar e você vai ficar mais forte.
Vai passar e os dias difíceis não vão assustar mais.
Vai passar e o passado vai virar passado.
Vai passar e o presente vai ser vivido plenamente.
Vai passar e o mundo vai dar voltas.
Vai passar e você vai florescer.
Vai passar e os dias de céu azul vão voltar.
Vai passar e o tempo trará respostas.
Vai passar e o crescimento ficará nítido.
Vai passar e a maturidade vai fazer morada.
Vai passar e coisas boas vão voltar a acontecer.

**Vai passar.
Sempre passa.
Você sempre supera.**

É LINDO QUANDO
O TEMPO CONFIRMA
QUE NOSSO CORAÇÃO
TOMOU A DECISÃO
CERTA.

Não precisa de muito para mostrar que se importa.

dormiu bem?
comeu direitinho?
se lembrou de tomar o remédio?
escute aqui esta música, ela me lembra você!
tá melhor?
se precisar conversar, tô aqui.
sei que você não quer conversar, mas qualquer coisa eu tô aqui, hein?!
leve um casaco, lá faz frio.
tem certeza de que tomou o remédio?
tenho uma piada para te contar.
veja esse meme aqui.
quer ajuda?
tô passando aí para te dar um abraço.
te coloco sempre em minhas orações.
fico feliz quando você fica feliz.

Que você nunca traia a sua intensidade.

no final
o que conta
é o que a gente fez
para agradar o nosso coração
não importa se não houve reciprocidade
não importa se o mundo nos achou trouxa
simplesmente não importa
o que importa mesmo
é se a gente disse que gostava
quando o coração pediu que fosse dito
é se a gente procurou
quando o coração pediu que a gente procurasse
é se a gente fez tudo aquilo que nossa intensidade
mandou ser feito

no final
o que conta
é a gente sair de cada história sabendo que
nenhuma parte da gente ficou suprimida
que a gente foi real, intenso, profundo, sincero

o que os outros são
é problema deles

Quero paz, paz e paz.

Quando amadurecemos, começamos a simplificar tudo. As relações, as decisões, os interesses. Chegamos num estágio onde nos conhecemos tanto, tanto, tanto, que já temos uma bela noção do que nos faz bem, do que nos machuca, do que vale a pena, do que provavelmente não vale. Aprendemos a lição mais valiosa de todas: nada deve ficar acima da nossa saúde mental e da nossa paz.

Fazer escolhas que preservam nossa paz, muitas vezes vai significar deixar coisas importantes para trás, pessoas importantes ficarão no passado, barreiras serão construídas, ambientes deverão parar de ser frequentados. O conforto e a tranquilidade prevalecem sempre. A paz de espírito se torna um norte, um caminho, o objetivo maior.

Porque, no fim das contas, meu bem, o que vale mesmo é colocar a cabeça no travesseiro e ter a mente tranquila. É se olhar no espelho e conseguir se encarar, olho no olho, sabendo que nossas escolhas foram buscando a paz. Só quem já perdeu a paz e a saúde mental sabe o quanto é bom tê-las de volta, e aí faz de tudo para continuar assim.

Se dá paz, vale a pena.
Se protege a saúde
mental, vale a pena.
Se faz dormir com
o coração leve,
vale a pena.

Eu vou sobreviver.

vou sobreviver aos dias ruins
dores
fases difíceis

vou sobreviver aos desamores
promessas falsas
coração partido

vou sobreviver ao que dizem de mim
energias ruins
gente torcendo contra

vou sobreviver ao caos
ansiedade
paranoias

vou lutar e sobreviver
vou resistir e sobreviver
vou sobreviver e viver
viver muito

Vai ser lindo quando todo mundo entender que o mundo gira.

Não sei se todo mundo está sabendo. Não sei se saíram notícias suficientes no jornal e na internet. Mas é necessário que a notícia se espalhe: o mundo gira. O mundo gira o tempo todo. Me surpreende o tanto de gente que se esquece disso. O tanto de pessoas que despreza a constante possibilidade de cair do lugar onde está, o efeito roda-gigante é cruel e bastante frequente. É impossível ignorá-lo.

O mundo gira. Isso não significa que quem está em cima vai sempre cair, mas que a lei do retorno está sempre ligada, pronta para devolver tudo aquilo que cada um tem emanado. Colhemos o que plantamos. Isso pode ser um conforto ou uma maldição. São suas atitudes que dirão.

Nada vai passar impune. Nenhuma bênção vai deixar de acontecer. O tempo é incerto, sabe? Não dá para prever, mas o que é nosso sempre dá um jeito de chegar até nós. Feliz ou infelizmente. É só observar, a lei do retorno de vez em quando age sutilmente, mas em muitas outras ela é gritante, brusca, chega chutando a porta.

Às vezes, as maiores
pancadas e bênçãos
de nossa vida são fruto
da lei do retorno.
Aqui se faz, aqui se paga.
Aqui se dá, aqui se recebe.

GRATIDÃO
POR AINDA TERMOS FÉ E AR NOS PULMÕES, QUE NOS PERMITEM LEVANTAR E TENTAR DAR A VOLTA POR CIMA.

Simplifique.

às vezes complicamos demais
às vezes colocamos dificuldades onde não existem
às vezes pensamos demais
às vezes nos sabotamos
às vezes tem tudo pra dar certo
mas nos agarramos a um detalhezinho bobo
e estragamos tudo

por isso
eu vou sempre repetir
"não complique, não, por favor"
se você gosta, faz bem e é recíproco
se jogue mesmo
tente mesmo
lute mesmo
ignore os detalhes insignificantes
não tenha medo da distância
não tenha medo da opinião alheia

simplesmente dê o seu melhor
e coloque toda a intensidade que mora em você

no fim das contas, dando certo ou não
você fez o que poderia ter feito
e pode dormir com o coração tranquilo

Sempre na direção das batidas do coração.

Continuo indo para onde meu coração aponta. Já deixei de ouvir o que ele pede e, em 101% das vezes, me dei mal. Não que eu aja inconsequentemente, não que eu ignore a razão, apenas encontrei um jeito de equilibrar tudo: intuição, maturidade, experiências. Meu coração é meu guia e eu não faço nada que meu coração grite para não ser feito.

Se meu coração diz que aquela pessoa não é uma boa companhia, eu ouço. Se meu coração diz que é, eu ouço. Às vezes o coração erra mesmo, e tá tudo bem. Às vezes a razão erra, e eu não vejo por aí ninguém protestando contra a razão. O coração é que sempre leva a culpa e a fama de bobo e desvairado. Coração é mais visceral e passional, ok, mas é nele que as coisas intensas surgem e são vividas.

Os erros sempre vão acontecer, as merdas sempre vão surgir, mas eu prefiro ouvir meu coração, opto por dormir em paz com ele. A razão também vem, eles conversam, tentam achar um meio-termo, e assim sigo. Nunca ignorando meu coração. Sempre tentando trazer a razão para dançar com ele. Tem sido um equilíbrio bonito. Às vezes arriscado, mas bonito.

Ouvir o coração, às vezes, nos machuca, mas cê já viu alguém ser feliz ignorando o que o coração tem a dizer?

você é um exemplo de força.

só você sabe a quantidade de lágrimas que chorou
só você sabe o tamanho das dores que enfrentou
só você sabe o tanto de dias ruins que teve
só você sabe as vezes em que foi dormir pedindo forças para Deus
só você sabe o que se passa aí dentro
só você sabe o que já se passou aí dentro

tantas vezes você fingiu estar bem
tantas vezes você sorriu por fora enquanto chorava por dentro
tantas vezes você viu o fim do mundo
tantas vezes você precisou de um ombro
e ninguém enxergou

e você resistiu
aguentou firme
caiu, levantou
se abateu, mas recuperou o fôlego
superou
sempre superou

porque você é superação

Eu sei que a vida, ultimamente, não tem sido boazinha contigo.

É, às vezes parece que a vida está de sacanagem conosco. Parece que ela está sempre nos empurrando, nos testando, nos provocando. Quando a gente organiza um lado, o outro bagunça. Quando a gente ganha ali, perde acolá. Quando a gente tem uns segundinhos de paz, logo vem outra tempestade. É, a vida simplesmente não brinca em serviço.

Mas sabe qual é a verdade mesmo? A vida nunca vai ser boazinha conosco. Ela é boa, mas não é fácil. Não existe vida fácil, não existe vida perfeita. E ao compararmos nossa vida com a vida alheia, um exercício terrível, sempre notamos as vantagens que o outro tem, e sempre ignoramos o que se passa dentro da mente e do coração de cada um. Todo mundo tem dor e delícia. Todo mundo tem paz e caos. Todo mundo tem arrependimentos, sofrimentos, inquietudes.

A vida não está sendo boazinha com ninguém. Juro. As coisas são difíceis mesmo, e quanto mais a gente cresce, mas vai aprendendo a viver. Vamos ficando mais resistentes, mais calejados, mais vividos. Só aprendemos a viver, vivendo. A vida não fica mais simples, nós é que aprendemos a simplificá-la, entende? Depois daquela queda, você cresceu. Depois daquela falha, você aprendeu. Depois daquela desilusão, você caiu na real e enxergou as coisas de outro modo. Viver te ensinou o tempo todo.

Sim, os momentos bons vão acontecer, os dias de paz vão rolar, os amores vão chegar. Sim, os momentos ruins vão acontecer, os dias de caos vão rolar, os amores irão partir. Porque a vida é isso, meu bem, deliciosa e dolorida, encantadora e assustadora. A vida é estranhamente linda.

Que você entenda que a vida nunca será fácil, mas amadurecer torna tudo um tanto mais simples.

Ninguém perde por ter amado demais.

A gente se culpa, né? Se culpa por ter amado demais, por ter tentado demais, por ter dado o melhor de si. Se culpa por não ter percebido algumas coisas, por ter insistido demais, por ter querido demais. A gente simplesmente culpa o coração bom, a intensidade, o jeito. Mesmo sem culpa, a gente se culpa por ter sentido demais.

Mas será que devemos? Será que devemos carregar a culpa por termos feito exatamente aquilo que nossos valores, princípios e sentimentos pediram? Será que devemos nos culpar pela nossa intensidade? Por nossa fé nas pessoas? Por dessa vez ter acreditado que seria diferente? Será?

Prefiro acreditar que dorme realmente tranquilo quem sai de cada história sabendo que deu o seu melhor. Os outros são os outros. Não podemos nos responsabilizar pelos sentimentos alheios, pelas atitudes alheias, pela ausência de reciprocidade alheia. Simplesmente não temos culpa que o outro não tenha o mesmo caráter, os mesmos valores, a mesma responsabilidade afetiva. A nossa única obrigação é sermos sinceros com o outro e com o que a gente sente.

Dar sempre o melhor de si é uma bênção e não um fardo. Se o que o outro te dá "em troca" não agrada seu coração, cabe a você partir em outras direções. E continuar dando o seu melhor, e continuar fazendo aquilo que seu coração pede, e continuar plantando coisas boas. O melhor roteiro sempre será: dar as coisas mais bonitas que moram em você, observar a reciprocidade, saber se despedir quando não faz bem.

**Dorme em paz
quem sai de cada
história sabendo
que deu o seu melhor...
que sua parte foi feita.**

Quando o outro sente, a gente percebe.

Quando o outro sente, cedo ou tarde fica evidente. Fica evidente no cuidado, no respeito, no carinho. Fica claro na preocupação, na atenção, no desejo de fazer bem. Nessa mania nossa de ficar tentando descobrir se é amor ou não, essa necessidade de taxar sentimentos, de rotular, o mais importante é observar as coisas na prática. Dizer e sentir são duas coisas distintas, afinal. A gente percebe mesmo o que o outro sente é na rotina.

É só observar. É só prestar atenção nas prioridades, nas desculpas, nas atitudes. Claro que cada um tem seu jeito de demonstrar e colocar para fora as coisas que existem no coração, mas todo mundo que sente algo por alguém, se preocupa, se importa, cede o ombro e o tempo, apoia. Se faltam essas coisas, simplesmente são sentimentos pequenos demais, e sentimentos pequenos não preenchem relações profundas.

Não me interessa dizer se sentimento A ou B é amor ou não. O que me interessa é ver o sentimento entrando em prática. O que importa tá na mensagem de "bom dia", tá no tirar cinco minutos para se fazer presente, tá no sair cansado do trabalho e ainda assim arranjar disposição para fazer sorrir, tá em ouvir, em tentar entender, em lutar para fazer as coisas darem certo.

Às vezes a gente se pergunta: "O que será que fulano sente por mim?", sendo que o que menos importa nisso tudo é a resposta de fulano. Afinal, posso dizer que sinto demais, que tenho o maior amor do mundo. A verdadeira forma de interpretar os sentimentos é ver o que as atitudes dizem. As atitudes dizem tudo.

**Cedo ou tarde
as máscaras caem,
os sentimentos se revelam,
as intenções ficam claras.**

Conexões mentais são raras.

Acho lindo quando a pessoa presta atenção na outra. Quando ela observa os detalhes, os gostos, os interesses. Quando alguém realmente mergulha em outro alguém. Decora a comida favorita, o perfume, os traumas, cicatrizes, sinais. Ah, é incrível. Continuo me encantando por quem além de ver, enxerga.

Admiro quem consegue ir além da superficialidade. Admiro quem se conecta de verdade. Admiro quem vai além da pele e da beleza externa. Admiro quem tem o poder de encontrar assunto mesmo depois de horas de conversa, quem se mantém interessado durante a rotina e não só no fim de semana, quem se esforça para animar e fazer sorrir, porque simplesmente se importa. E tem sido raro esbarrar em gente que se importa, né?

Contatos superficiais não satisfazem corações profundos. Conexões fracas não trazem o que pessoas intensas anseiam. Quem é oceano não transborda em quem só molha os pés. É um encontro bonito o de duas pessoas que se enxergam mutuamente, que se jogam de cabeça naquilo, mesmo que tenham cicatrizes e memórias de vezes que o paraquedas não se abriu.

Tem coisa que a gente
precisa segurar com força,
cuidar bem, valorizar,
porque são raras.
Porque são únicas.

"O problema não é você, sou eu."
Eu sei.

Várias vezes eu escutei esse famigerado: "O problema não é você, sou eu" e mesmo assim fiquei me questionando e procurando defeitos em mim. Não acreditava, sabe? Sempre achei que a culpa era minha, afinal, ninguém vai embora se o negócio está bom, né? Equívoco meu.

Fui crescendo e entendendo que em 99% das vezes o problema não era eu, o outro estava certo mesmo. O "problema" era o outro: deixou de gostar, perdeu o interesse, percebeu que não era aquilo que queria. Não que isso tudo seja necessariamente um problema, mas vamos tratar assim para fins didáticos.

Percebi que o problema não era eu, porque quando fiz um exame de consciência e recapitulei todos os meus movimentos, percebi que fiz tudo da maneira mais honesta e apropriada possível. Me entreguei, me dediquei, mergulhei nas histórias com a maior vontade e intensidade, e tive sempre o maior desejo de fazer as coisas darem certo. Fui eu mesmo, fui de verdade, fui o melhor que pude.

Então me liberto de toda e qualquer pressão de não ser suficiente para as pessoas. Ninguém é obrigado a ficar do meu lado, ninguém é obrigado a permanecer comigo, e isso não me diminui, não afeta meu valor e de forma alguma faz eu me sentir menor. Definitivamente, eu sei que o problema não sou eu. Quando for, deixarei isso claro e serei o primeiro a arrumar as malas.

Nós e essa mania boba de acharmos que alguém não gostar da gente significa que necessariamente tem algo de errado conosco.

Um brinde a você, que tem superado tanta coisa.

Um brinde ao seu passado, que apesar das dores e momentos difíceis, te ensinou demais. Seja grato, por mais difícil que isso seja, porque você não seria o que é hoje se não tivesse todas as cicatrizes que carrega consigo. Todas as lembranças ruins são também um lembrete de que você está melhor agora. Todas as vezes que você olha pro passado e já não sente o peito tão apertado, são conquistas imensas.

Um brinde para seu eu do passado, que mesmo com os furacões acontecendo, se segurou em alguma coisa e seguiu a vida. Sim, temos esse hábito de achar que tudo é para sempre, que aquele momento é infinito, que o resto da vida vai ser daquele jeito, mas você já viveu tanto, já caminhou tanto, já passou por tantos momentos do tipo "infinitos" que simplesmente passaram.

Um brinde à maturidade adquirida, à força da descoberta, ao crescimento. Quando você se compara com o seu eu do passado, você consegue perceber que é mais forte do que pensava na época, que os problemas eram grandes, mas não maiores que você, que brotaram habilidades que só surgem quando a vida nos esprem e nos derruba. Você, no momento que lê este texto, está sendo a melhor versão de si mesmo. É só olhar para trás com atenção e perceber.

Um brinde à
sua resistência,
à sua capacidade
de seguir em frente
e ao tanto de vezes
que pareceu o fim do mundo,
mas você acordou no outro dia
recomeçando.

DEVAGARINHO VOCÊ VAI PERCEBER SEU CORAÇÃO SE ACALMANDO, A VIDA ORGANIZANDO, AS SOLUÇÕES SURGINDO.

CALMA, TÁ?

Que você aprenda de uma vez que nada forçado vale a pena.

Um conselho básico que eu espero que você guarde e coloque em prática: nunca fique esperando a atenção de alguém. Nunca, ok? Exercite não ficar esperando a resposta da mensagem, exercite não deixar que a ausência do outro te afete tanto, exercite não estragar seu dia com a frieza alheia. Tire dos outros esse poder. É libertador.

Dê a si mesmo tanta atenção, que a desatenção alheia vai perder o poder de te impactar. Ocupe-se vivendo, e todas as suas relações vão se tornar leves, espontâneas, suaves, sem cobranças. Simplifica tudo quando temos nosso próprio mundo para gerir. A partir daí, quando nosso mundo encontra o mundo de alguém, eles se abraçam e se divertem, sem aquele peso de companhia por obrigação, de reciprocidade forçada, de estar ali só por estar.

Porque poucas coisas são tão chatas quanto cobrar atenção de alguém. Aprenda de uma vez, as pessoas dão atenção quando elas querem e podem dar. Quando elas têm tempo e interesse, porque é o interesse que faz arrumar tempo. Se a atenção vier, ótimo, se não vier, ok. Quando vier, vai ser bem recebida, quando não vier, você vai estar vivendo e vivendo e vivendo.

**Não há detalhe
mais bonito
do que a atenção,
mas ela não pode
ser forçada.**

O que você está sentindo não é drama.

Não se julgue por estar se sentindo desse jeito. Também não ouça essas pessoas que dizem que as coisas que se passam aí dentro são dramas, bobagens, frescuras. Só você sabe o tamanho da sua dor, os pesos que carrega, as dificuldades que enfrenta. Não é drama cair quando a vida te derruba, não é drama sofrer por pessoas que vacilaram, não é drama se decepcionar por alguns planos que não deram certo.

Falta empatia por aí. Empatia para entender que todo mundo que passa por nós está enfrentando uma batalha, todo mundo está lutando contra alguma coisa, superando outras, amadurecendo com as situações que acontecem. E você também. Você está enfrentando seus desafios pessoais, suas lutas internas, suas dores. Não há vergonha ou fraqueza alguma nisso tudo. Pelo contrário, há muita beleza e força em quem está batalhando para melhorar, superar, seguir em frente.

Nunca escute as pessoas que só julgam e não se colocam no lugar do outro. Todo mundo vai falar. Todo mundo vai dar opinião rasa e superficial, mas poucos são os que vão abraçar, estender a mão e tentar se colocar no lugar das outras pessoas. Poucos vão ser os que terão disponibilidade de ouvir, entender, aconselhar. No fim das contas, na maioria das vezes, será você e você, somente você e você.

Por isso, seja carinhoso consigo mesmo. Seja acolhedor com você. Você tem tanta empatia com as pessoas, e por que não tem a mesma empatia com suas dores, dilemas e problemas? Por que você não dá a si mesmo a mesma paciência e afeto que dá aos outros? Às vezes a maior falta de empatia é a que temos conosco. Tá na hora de ser mais por você, entende? Julgar menos a si mesmo, ser mais piedoso com suas falhas e tropeços.

O que você sente não é "mimimi". Você está fazendo o que pode, com a maturidade que tem, não se pressione tanto, nem se culpe. Tenha paciência.

Isso também vai passar.

Não importa o que aconteça, vai passar. Bom ou ruim, vai passar. Triste ou feliz, vai passar. Doloroso ou pacífico, vai passar. Isso vai passar, aquilo também. O que está aí rasgando seu peito vai passar. O que está aí te sufocando vai passar. O que está tirando seu sono... acho que você já entendeu.

Claro que saber que vai passar não faz a dor sumir, mas minha missão agora não é fazer sua dor sumir. Eu gostaria de fazê-lo, mas simplesmente não tenho esse poder. O que eu quero agora é acalmar seu coração, porque imagino o quanto ele está apertadinho. Tô aqui agora para tentar te lembrar que existem luzes no fim do túnel e que todas as dores que você já sentiu, se curaram ou estão cada dia menores. Tem passado, mesmo que você não esteja percebendo.

Por mais que seja difícil ver solução, por mais que dessa vez pareça diferente de todas as outras vezes que a dor passou, isso também vai passar. Também pareceu que não iria passar nas outras vezes, talvez você simplesmente não lembre, mas você já achou que era o fim do mundo, pelo menos duas ou três vezes até então. Você já achou que as coisas simplesmente iriam ser tristes para sempre, mas viu, no outro dia ou depois de um tempo, que coisas boas voltam a acontecer e soluções aparecem.

Seu coração pode não estar intacto, ele vai levar pra sempre algumas cicatrizes e vez ou outra o passado vai dar um jeitinho de feri-lo, mas você sempre vai seguir, ok? Mesmo com o coração levando umas cicatrizes e Band-Aid. Vai sempre passar, mesmo que antes te coloque de cabeça pra baixo e te faça perder o rumo. É só uma maneira meio torta que a vida tem de mostrar o tamanho da sua força.

Não vou cansar de repetir que você é forte e que sempre vai dar um jeito de superar e seguir em frente.

VOCÊ VAI TER QUE FAZER ESCOLHAS DIFÍCEIS PARA PROTEGER SEU CORAÇÃO. VAI DOER, MAS VOCÊ VAI PERCEBER QUE VALEU A PENA.

Recaídas e flashbacks não trazem o que o seu coração precisa.

Você olha pro passado e ele te dá uma sensação de conforto e comodidade. Se sente em casa, porque já esteve ali por bastante tempo. Conhece todos os corredores, todos os cantos, todas as armadilhas. O passado é sua melhor zona de conforto. Quando a carência bate, é ele que você procura, pois sabe que ali é um terreno conhecido, mesmo que não seja o lugar ideal. Não é.

Você corre pro passado, porque simplesmente acha que pode mudá-lo, que tem força para fazê-lo se moldar e virar presente e futuro. Cê continua achando que consegue mudar as pessoas, mudar sentimentos, mudar histórias que já foram vividas e revividas. Mas, o pior de tudo nem é essa insistência tola, o pior de tudo é esse medo de fechar a porta definitivamente, por achar que nunca mais vai viver uma história boa.

Ficar com um pé no passado e outro no presente nunca vai te permitir viver novidades. Elas chegam. Sempre chegam. Já diz o verso daquela música antiga que gosto muito "...*o novo sempre vem*". O novo tá aí, sempre aparecendo na sua frente, sempre pedindo passagem, mas você prefere essa esperança teimosa de que a vigésima vez vai ser diferente. Não vai. Simplesmente não vai. Eu já te disse, não dá para mudar as pessoas. Não dá. Não dá para você viver esperando abacate de quem só pode oferecer manga.

Sei que você se acostumou a correr pro passado. Que essa sensação de casa, por mais que também proporcione machucados, traz alguma espécie de paz. Mas é uma paz pouco duradoura, porque logo retorna a sensação de querer mudar a decoração. É casa, mas não lar. Nunca poderá ser. Cê já mudou os móveis de canto, já jogou fora alguns pertences, já trocou o colchão, já pintou as paredes, investiu... e continua não sendo o lugar certo.

Tá na hora de colocar o passado no passado, e viver as novidades que a vida oferece. Recaídas não são recomeços.

Você não precisa ter medo do futuro, apenas viva o hoje da melhor maneira possível.

Querido diário, tenho tantos medos. Outro dia eu disse para alguém que sou destemido, que quase não tenho medo, mas eu menti ou me enganei. A verdade é que eu tenho medo demais. Medo de tudo isso acabar amanhã, medo de não ter tempo de curtir as bênçãos que eu batalhei tanto para conseguir, medo de não ouvir alguns "eu te amo" mais uma vez, medo de não conseguir um montão de coisas que planejei, querido diário.

O futuro às vezes me assusta, mas a verdade mesmo é que o que me dá mais medo é o futuro nem chegar. Claro que eu sei que isso tudo é a ansiedade gritando. Claro que eu sei que não dá pra controlar tudo, a vida é incerta, os planos de Deus às vezes são complicados de entender, mas, querido diário, me reservo o direito de ter medo.

O medo não me paralisa, eu juro, querido diário, ele não me impede de seguir, não me impede de curtir o hoje, não me tira o sono regularmente. Vez ou outra ele vem com a insônia e me faz perder umas horinhas de sono. Aí eu penso no pior, invento mil e uma paranoias, acidentes, tropeços. Imagino os piores cenários e os piores destinos. De vez em quando até sonho com esses absurdos todos.

Aí eu acordo, querido diário, acordo e vivo como se o medo fizesse apenas cócegas. Vou com medo mesmo. Continuo plantando sem saber se vou colher ou não, continuo amando, continuo dizendo o que sinto, continuo tentando não ir dormir brigado com ninguém, continuo, simplesmente continuo, fazendo minhas coisas, andando na minha estrada. Tenho medo, querido diário, mas eu sou maior que ele.

Se o futuro é incerto, trate de viver o presente, trate de ser hoje a melhor versão de si mesmo. O amanhã pertence a Deus.

É, acabou...

É, talvez o telefone não toque mais, talvez não cheguem mais mensagens, talvez os contatos se tornem cada dia mais raros, até que deixem de existir. É, as lembranças estão aí, em cada canto da casa, em cada parede da memória. É, tem dia que a única companheira é a nostalgia, que traz uma pergunta que já nem tem tanta importância de ser respondida: "Será que eu poderia ter feito diferente?".

É, mas a vida seguiu, o tempo passou, o mundo deu voltas. O Universo simplesmente grita te mostrando que não dá para ficar parado, mesmo que o amor que mora aí dentro continue te deixando preso. O outro voou, tá na hora de você voar também. Ou você abre a gaiola ou abre a gaiola. São suas únicas opções agora. Chorar faz parte. Chore voando.

É, ninguém te avisou que a ausência doeria tanto e que recomeçar seria tão difícil, mas você tá lidando com isso do jeito que você consegue lidar. Você tem seu próprio tempo. Às vezes vai querer voar de volta, às vezes vai querer pegar o telefone e mandar uma mensagem, às vezes vai se sentir sem rumo. Porque tudo isso faz parte do processo de cura, de superação... de recomeço.

**É, acabou, mas a vida continua.
É, acabou, mas *você* continua.**

que você saiba dar tempo a si mesmo.

se dê tempo
tempo para pensar
tempo para relaxar
tempo para organizar as ideias
tempo para esquecer
tempo para lembrar
tempo para decidir
tempo para não pensar
tempo para fazer o que gosta
tempo para superar
tempo para tirar sua mente do caos
tempo para o seu coração
tempo para conhecer
tempo para formar opinião
tempo para se apaixonar
tempo para viver

porque a vida passa rápido
mas tem tempo de sobra
você só precisa se dar um tempo

p.s.: lembre-se:
não adianta usar seu tempo
correndo atrás de coisas que você quer
e não ter saúde mental para vivê-las

O QUE VOCÊ ACHA QUE TE MACHUCOU:

- O AMOR
- SUA INTENSIDADE
- SEU CORAÇÃO BOM

O QUE REALMENTE TE MACHUCOU:

- AS PESSOAS
- AS EXPECTATIVAS
- A FALSIDADE
- AS MENTIRAS
- OS JOGUINHOS
- A IMATURIDADE
- A FALTA DE RESPONSABILIDADE AFETIVA
- A FALTA DE DIÁLOGO

"Como saber que fiz a escolha certa?"

Muitas vezes não saberemos imediatamente se tomamos as decisões corretas. A verdade é que, talvez, apenas o tempo traga a noção exata se aquilo foi a decisão mais certa. Mas, por enquanto, se quiser ter uma noção se essa foi a decisão certa, se pergunte: "Eu estou sentindo paz ou algo parecido? Eu fiz aquilo que meu coração acompanhado da razão decidiu? Eu caminhei o melhor caminho baseado na minha maturidade, nas minhas experiências, em tudo que já passei e já senti na vida? São esses tipos de pergunta que podem te dar uma ideia bem eficiente se é ou não a decisão certa. O que é mais importante, acima de qualquer outra coisa, é você não se culpar por coisas que não dependiam exclusivamente de você, entender que nem sempre as coisas vão sair como queremos, mesmo se fizermos tudo certo, e observar os aprendizados escondidos em qualquer situação, as que dão certo e as que dão "errado". Tudo ensina. Tudo ensina, sim.

as voltas que o mundo dá.

o mundo vai dar voltas e você vai superar o que dói
o mundo vai dar voltas e as coisas vão se ajeitar
o mundo vai dar voltas e você vai conseguir rir até dos momentos mais complicados
o mundo vai dar voltas e a lei do retorno vai agir
o mundo vai dar voltas e você vai colher o que plantou
o mundo vai dar voltas e você vai ver luzes no fim do túnel
o mundo vai dar voltas e seu coração encontrará os melhores caminhos

o mundo vai dar voltas
muitas
até quando menos esperarmos

o mundo vai dar voltas
e o que tem que ser seu
vai sempre encontrar um jeito de chegar
até você

Uma carta para lembrá-lo que você tem um mundo inteiro de possibilidades.

Talvez você só precise de um abraço. Talvez você só precise de uma piada boba. Talvez você só precise de uma tarde de sol. Talvez você só precise de uma música boa tocando no rádio. Talvez você só precise de uma segunda chance. Talvez você só precise de alguém dizendo que acredita em você. Talvez você só precise de alguém torcendo junto. Talvez você só precise de algo no fim do dia que te faça acreditar que a vida continua.

Talvez as feridas cicatrizem amanhã. Talvez elas demorem mais um mês. Talvez a luz do fim do túnel surja nos primeiros raios de sol quando você acordar na próxima segunda-feira. Talvez seu recomeço tenha nome e sobrenome. Talvez as respostas estejam bem na sua frente. Talvez você só precise seguir conselhos clichês e simplificar.

Talvez você deva viajar em março, e não em janeiro. Talvez você deva colocar o arroz antes do feijão. Talvez você deva bloquear uns contatos, deletar umas fotos, ligar para alguém que você não liga faz tempo. Talvez você deva fazer uma tatuagem, mudar a decoração da sala, comprar roupas novas. Talvez você deva simplesmente fazer tudo diferente, ou um pouco diferente, ou só sair momentaneamente das caixas em que você se encaixou.

Talvez nada do que eu tenha dito sirva no momento, mas torço para que você entenda que existe um universo de possibilidades lá fora. A vida grita o tempo inteiro pedindo para ser vivida e aproveitada, e há sempre outro caminho, outras pessoas, outras chances, outras opções, outros dias.

Talvez você logo perceba que estar perdido e machucado é algo transitório, e que há inúmeras coisas para serem vividas. A vida sempre continua, meu bem.

NO FIM DAS CONTAS, O QUE IMPORTA É O QUANTO AMADURECEMOS E O QUANTO CRESCEMOS DEPOIS DAS QUEDAS.

É uma questão de tempo e de acalmar o coração: vai ficar tudo bem!

Sei que hoje você vai deitar com o coração pesando algumas toneladas e que a noite é a pior parte do dia, porque você tem que encarar seus pensamentos, suas dúvidas, seus medos. A insônia é comum e tem aumentado seu cansaço, no outro dia parece que o peso que você carrega aumentou. A pressão é enorme, as dores são gigantescas, os medos são muitos. Tá difícil ser você ultimamente, hein?

As palavras mágicas não existem, nem um roteiro exato para fazer com que tudo aí dentro se organize. Queria te abraçar agora e tentar arrumar esses cacos e essa bagunça que você tá carregando. Espero que essas palavras funcionem como alguma espécie de aconchego, de momento pacífico, de luz. Queria também dividir essa dor contigo e te dizer que você não está só. Vivi furacões gigantescos e saí deles mais forte, você vai sair mais forte também.

É o tempo que vai trazendo um certo alívio, você vai amadurecendo, entendendo a situação, resolvendo o que dá e esperando o que não está nas suas mãos. Mantenha a fé. Mantenha a fé e continue aguentando firme. Já já, torço e acredito, as coisas vão ficar boas, a paz vai se restaurar, a bagunça vai se organizar.

**Eu sei que você
não aguenta mais ir dormir
com essa sensação de que a dor não vai
passar nunca, mas,
acredite em mim:
logo logo tudo se ajeita.**

você é força e superação.

sabe como eu sei que você é forte?
você continua seguindo em frente apesar de tudo
você continua sendo amor
você continua sendo luz
você continua dando o melhor de si
você continua se importando com as pessoas
você continua oferecendo as partes mais bonitas do seu coração

sabe como eu sei o tamanho da sua força?
você aguentou firme durante todas as fases ruins
você se permitiu sentir
e não teve medo da sua vulnerabilidade

você aprendeu que quem é forte também cai
que quem é forte também chora
que quem é forte também tem momentos
onde se sente fraco

qualquer olhar atento consegue perceber
o quão forte você é
você exala força, coragem e superação

(espero que você nunca mais duvide do tamanho da sua força)

perdoe-se.

perdoe-se por não ter tido
maturidade naquele momento
perdoe-se por não ter agido certo
naquela vez
perdoe-se por ter falado demais
por ter se calado
por ter dito besteiras
perdoe-se por não ter dado o melhor
de si quando foi necessário
perdoe-se por não ter conseguido amar
perdoe-se por ter amado demais
perdoe-se por ter abandonado alguns sonhos

perdoe-se
simplesmente perdoe a si mesmo
e aprenda com os erros

você não se resume aos equívocos
você é falho como qualquer um

é o processo de florescimento
e amadurecimento
tudo isso rega o ser humano incrível
que você está se tornando.

ALGUNS SPOILERS

- **VOCÊ VAI SUPERAR TUDO ISSO QUE MACHUCA SEU CORAÇÃO**
- **O MUNDO VAI DAR VOLTAS E AS COISAS VÃO SE AJEITAR**
- **VAI DOER, MAS SEMPRE VAI PASSAR**
- **OS DIAS RUINS VÃO CONTINUAR ACONTECENDO, MAS VOCÊ FICARÁ CADA DIA MAIS FORTE E VAI SUPERÁ-LOS**

- VOCÊ VAI CONHECER NOVAS PESSOAS, VIVER NOVAS HISTÓRIAS, ENCARAR NOVOS DESAFIOS, ENFRENTAR NOVAS SITUAÇÕES
- NOTÍCIAS BOAS VÃO ROLAR
- ALGUMAS PESSOAS VÃO PARTIR, E VAI SER MELHOR ASSIM
- O TEMPO TRARÁ RESPOSTAS
- A PAZ VAI INVADIR SUA VIDA
- VOCÊ VAI OLHAR PARA TRÁS E PERCEBER QUE TUDO VALEU A PENA, ATÉ OS MOMENTOS RUINS. TUDO TE ENSINOU E AJUDOU NO SEU AMADURECIMENTO

MOTIVOS PARA ACREDITAR QUE VAI FICAR TUDO BEM:

- OS OUTROS MOMENTOS DIFÍCEIS TAMBÉM PASSARAM
- VOCÊ ENFRENTOU TODAS AS FASES COMPLICADAS E SUPEROU TODAS ELAS
- VOCÊ ESTÁ FICANDO CADA DIA MAIS FORTE
- DEUS TEM PLANOS LINDOS PARA A SUA VIDA
- VOCÊ ESTÁ AQUI PARA SER FELIZ, A DOR ÀS VEZES É NECESSÁRIA, E ELA SEMPRE É PASSAGEIRA

PEQUENAS RAZÕES PARA AGRADECER:

- AQUILO QUE PARECE UMA PERDA, QUASE SEMPRE, É UM LIVRAMENTO
- APESAR DE TUDO DE RUIM QUE ACONTECEU, VOCÊ ESTÁ AÍ, DE PÉ, PRONTO PARA ENFRENTAR E SUPERAR O QUE VIER
- VOCÊ MANTEVE O CORAÇÃO BOM, APESAR DA MALDADE QUE AS PESSOAS FIZERAM CONTIGO
- HOUVE MOMENTOS BONS E MUITOS SORRISOS DURANTE A SUA TRAJETÓRIA
- VOCÊ ESTÁ AMADURECENDO

CONSELHOS ALEATÓRIOS:

- FAÇA DE TUDO PARA DEIXAR CLARO O QUE SENTE, O QUE QUER, O QUE INCOMODA, O QUE MACHUCA. IMPONHA-SE
- AME HOJE, DEMONSTRE HOJE, SE DESCULPE HOJE, TENTE SEMPRE NÃO IR DORMIR BRIGADO OU COM DEMONSTRAÇÕES DE AFETO ENTALADAS NA GARGANTA
- RESPEITE SEU TEMPO, MAS NÃO PERCA TEMPO COM BOBAGENS

- NA DÚVIDA ENTRE ESTAR CERTO E TER PAZ, OPTE POR TER PAZ. TENTAR CONVENCER AS PESSOAS A PENSAR IGUAL SÓ VAI TE DESGASTAR
- DEIXE IR AQUILO QUE JÁ MOSTROU QUE NÃO FAZ QUESTÃO DE FICAR

"Como faço para fazer o coração superar mais rápido?"

Hoje eu sei que alguns planos não podem ser feitos. Não dá pra prever algumas coisas, não dá para fazer estimativas sobre o tempo que o coração vai levar. Não dá para medir o ritmo que o coração vai se apaixonar ou esquecer, não dá para medir a velocidade com que o coração vai superar algo, ressignificar sentimentos, transformar saudades em lembranças sem vontade de revivê-las. Simplesmente não dá para forçar, sabe? O que a gente sempre pode fazer, e já é de grande ajuda, é criar um ambiente favorável à superação. O que isso quer dizer? Evitar stalkear e reviver o passado que pretendemos superar, evitar contatos que possam cutucar as feridas que estão cicatrizando ainda, ocupar a mente, focar nas coisas que nos fazem bem e dão prazer, direcionar nossa atenção para outras coisas, pessoas, lugares, procurar ajuda profissional, por exemplo, fazer terapia. Não existe superação mágica, não existe prazo para que ela aconteça, o que podemos fazer é a nossa parte e deixar o coração fluir no ritmo dele.

**VOCÊ É FORTE,
VOCÊ É FORTE,
VOCÊ É FORTE,
VOCÊ É FORTE
E EU VOU REPETIR
ISSO QUANTAS VEZES
FOREM NECESSÁRIAS
ATÉ VOCÊ ENTENDER
ISSO**

"Como você sabe que superou e está bem sem alguém?"

Não existe um botão mágico que nos avisa. Não existe uma sirene, um alarme, um telegrama. Não existe uma ligação telefônica. Simplesmente a gente pensa na pessoa e não sente mais vontade de trazê-la para perto. Simplesmente a gente relembra o passado e não quer correr para revivê-lo. As feridas cicatrizam. As vontades passam. A rotina muda. A saudade vai se tornando cada dia menor. O carinho não desaparece, também não existe nenhuma vontade de apagar o passado, apenas uma sensação de encerramento, de ciclo concluído. Foi o que tinha que ser. Foi o que deu pra ser. Não há mais nenhum desejo de tentar dar prosseguimento à história. Você sente paz e um certo alívio. A vida mostra que você segue bem sem aquela pessoa e o tempo só confirma isso. Vem um sentimento de "obrigado por tudo, mas vamos cada um seguir o próprio caminho".

"Estou perdido... e agora?"

Estar perdido não necessariamente é algo ruim. A gente tende a enxergar isso com os olhos de quem não sabe pra onde ir, mas esquece a quantidade de opções que esse não saber proporciona. Estar perdido te traz um universo inteiro de possibilidades. Preciso que você comece a observar isso tudo como uma grande oportunidade de tentar outros caminhos, outras companhias, outros projetos, outros sonhos. Sei que a dor quase sempre nos impede de ver o lado bom das coisas, mas exercite sua mente para que ela enxergue as lições escondidas, os aprendizados, as chances de crescer e amadurecer. Nada é em vão. Ou, pelo menos, nada deveria ser em vão. A gente tem que tentar absorver ensinamentos em tudo. O que você está sentindo agora, toda essa sensação de bússola quebrada e desnorteamento, pode ser o momento ideal para que você encontre um caminho incrível.

não precisa fingir que está bem.

você não precisa forçar sorrisos
você não precisa disfarçar tristezas
você não precisa fingir que está tudo bem

você está em um processo de cura
e todo processo de cura
demanda tempo
paciência
esforço

você está em um caminho de superação
e não precisa escondê-lo
você vai chorar o quanto for preciso
você vai ficar no seu cantinho o quanto for preciso
você vai levar o tempo que seu coração disser que precisa

quando você estiver bem, estará
enquanto isso, permita-se viver cada etapa da volta por cima

que você saiba
sempre se reconstruir.

às vezes estamos machucados demais
para notarmos as bênçãos escondidas
os pequenos motivos para sorrir
as razões para continuar acreditando na beleza da vida

às vezes estamos pessimistas demais
para olharmos novamente com doçura
para nos encantarmos com novas pessoas
para abraçarmos novas chances de ser feliz

mas, com o tempo,
as nuvens cinzas vão sumindo de nossa visão
as feridas param de sangrar
o gosto das coisas fica menos amargo
e algum raio de sol invade o coração mais uma vez

e aí entendemos que viver não é só lágrima e dor
viver não é só luta e caos
viver é sobre recomeçar sempre que for preciso
viver é sobre reconstruir a si mesmo

todas as pessoas estão passando por alguma tempestade.

todo mundo está passando por
um processo de superação
todo mundo está dando alguma
espécie de volta por cima
mesmo que pequena e simples
mesmo que invisível e silenciosa

todo mundo está lidando com pesos
com rejeições
com o passado
com sentimentos e caos

todo mundo está precisando de um abraço
de um "eu acredito no seu potencial"
de um "vai ficar tudo bem"

você não precisa se sentir diferente
você não precisa se sentir menor do que os outros

todo mundo está no mesmo barco que você

NINGUÉM
SABE A QUANTIDADE DE COISAS QUE VOCÊ JÁ SUPEROU. NINGUÉM SABE A QUANTIDADE DE VEZES QUE VOCÊ DORMIU PEDINDO FORÇAS A DEUS.

é que a gente de vez em quando esquece do quanto a vida é boa.

apesar da quantidade de merdas que acontecem
apesar das pessoas ruins
apesar dos dias difíceis
apesar da bagunça que às vezes consome a gente
apesar das lágrimas
apesar dos desamores
apesar das tragédias
a vida é boa

sim
ainda tem muita coisa boa acontecendo
ainda tem muita gente praticando o bem
ainda tem muitas pessoas amando profundamente
ainda saem notícias boas no jornal

o Rio de Janeiro continua lindo
o verão de Salvador permanece incrível
rádios tocam todos os dias "Anunciação" e "Evidências"

ainda podemos realizar uns cento e cinquenta mil sonhos

a vida é boa, eu juro pra você...

Escreva um bilhete dizendo "estou indo ser feliz, não tenho hora pra voltar".

Tô indo ser feliz. Tô com pressa, sabe? Não, não tô afobado, trocando os pés pelas mãos. Tô indo leve, num ritmo bom. Convidei a todos os que eu acho que gostariam de ir ser feliz comigo. Gente que gosta de ver minha felicidade e que eu gosto também de ver feliz. Na moral, na real mesmo, eu quero que todo mundo seja bem feliz, gente feliz deixa as energias do Universo mais suaves. O mundo seria um lugar melhor e mais simples.

Tô indo ser feliz, já adiei demais. Não que eu não tenha sido feliz antes, mas dessa vez eu vou para não voltar mais. Vou ser feliz até nos dias tristes. Vou arranjar algum jeito de ressignificar as coisas até elas parecerem um aprendizado ou uma oportunidade de olhar o mundo sob outra ótica. Sim, tô indo ser feliz e mesmo assim vai haver dias tristes, momentos difíceis, situações ruins. Eu já expliquei no *Pra você que teve um dia ruim* que os dias ruins são apenas dias, onde também existem motivos para sorrir e agradecer. Lembra? Espero que sim.

Tô indo ser feliz e estou levando pouca coisa. A maturidade adquirida, meu coração bom, os aprendizados, as lembranças boas, pessoas que contribuíram para eu ser quem sou, roupas confortáveis e a certeza de que eu tô (estamos) aqui pra isso: ser feliz.

Ser feliz sem hora pra acabar, sem prazo de validade, com responsabilidade, para a felicidade durar mais. Tô indo ser feliz, espero que você vá também.

Que você encontre a felicidade, abrace ela, cultive todos os dias e entenda que em cada pedacinho da vida existe um motivo para sorrir e ser feliz.

É, o livro acaba aqui, quer dizer, este livro não acaba. Este livro continua aí dentro de você. Espero que você tenha sido tocado por cada palavrinha, por cada página, por cada mensagem. Espero que você tenha lembrado (ou finalmente entendido) que nada nesse mundo vale mais do que a sua paz, que você está aqui para ser feliz e que você é forte, forte demais! Ah, desculpe os puxões de orelha, são pro seu bem.

O livro agora faz parte do seu coração...

e não há lugar mais lindo para ele morar.

Com amor,
Victor Fernandes

LEIA TAMBÉM

Acreditamos nos livros

Este livro foi composto em Chronicle e Druk. Impresso pela Gráfica Santa Marta para a Editora Planeta do Brasil em maio de 2024.